CB057383

SALMOS

SALMOS

THOMAS NELSON
BRASIL

Copyright © 2017 por Vida Melhor Editora, LTDA.
Todos os direitos reservados.

Texto bíblico da *Nova Versão Internacional*, NVI®
Copyright © 1993, 2000, 2011 de Bíblica, Inc.
Publicado com permissão. Todos os direitos reservados mundialmente.

"NVI" e "Nova Versão Internacional" são marcas registradas por Biblica Inc. nos Estados Unidos e no Brasil.
O uso destas marcas só é permitido com anuência de Biblica Inc. Todos os direitos do texto bíblico em língua portuguesa reservados por Biblica Inc.

Publisher	*Omar de Souza*
Gerente editorial	*Samuel Coto*
Editor	*André Lodos Tangerino*
Assistente editorial	*Marina Castro*
Diagramação	*Aldair Dutra de Assis*
Capa	*Rafael Brum*

CIP-BRASIL. CATALOGAÇÃO NA PUBLICAÇÃO
SINDICATO NACIONAL DOS EDITORES DE LIVROS, RJ

S168

    Salmos. - 1. ed. - Rio de Janeiro: Thomas Nelson Brasil, 2017.
208 p.

    ISBN 978-85-7860-411-0 (capa azul petróleo)
ISBN 978-85-7860-414-1 (capa bordô)

    1. Bíblia. A. T. Salmos - Meditações. 2. Louvor a Deus - Meditações.

17-39666   CDD: 223.2
CDU: 27-243.63

Thomas Nelson Brasil é uma marca licenciada à Vida Melhor Editora LTDA.
Todos os direitos reservados à Vida Melhor Editora LTDA.
Rua da Quitanda, 86, sala 601A – Centro
Rio de Janeiro, RJ – CEP 20091-005
Tel.: (21) 3175-1030
www.thomasnelson.com.br

Printed in China

PRIMEIRO LIVRO

Salmo 1

¹Como é feliz aquele
   que não segue o conselho dos ímpios,
não imita a conduta dos pecadores,
   nem se assenta na roda dos zombadores!
²Ao contrário, sua satisfação
   está na lei do Senhor,
e nessa lei medita dia e noite.
³É como árvore plantada
   à beira de águas correntes:
Dá fruto no tempo certo
   e suas folhas não murcham.
Tudo o que ele faz prospera!

⁴Não é o caso dos ímpios!
São como palha que o vento leva.
⁵Por isso os ímpios
   não resistirão no julgamento,
nem os pecadores na comunidade dos justos.

⁶Pois o Senhor aprova o[a] caminho dos justos,
   mas o caminho dos ímpios leva à destruição!

Salmo 2

¹Por que se amotinam[b] as nações
   e os povos tramam em vão?
²Os reis da terra tomam posição
   e os governantes conspiram unidos
contra o Senhor e contra o seu ungido,
   e dizem:
³"Façamos em pedaços as suas correntes,
   lancemos de nós as suas algemas!"

⁴Do seu trono nos céus
   o Senhor põe-se a rir e caçoa deles.

---
[a] **1:6** Ou *cuida do*; ou ainda *conhece o*
[b] **2:1** A Septuaginta diz *se enfurecem*.

⁵Em sua ira os repreende
   e em seu furor os aterroriza, dizendo:
⁶"Eu mesmo estabeleci o meu rei
   em Sião, no meu santo monte".

⁷Proclamarei o decreto do Senhor:
Ele me disse: "Tu és meu filho;
   eu hoje te gerei.
⁸Pede-me, e te darei as nações como herança
   e os confins da terra como tua propriedade.
⁹Tu as quebrarás com vara de ferro[a]
   e as despedaçarás como a um vaso de barro".
¹⁰Por isso, ó reis, sejam prudentes;
aceitem a advertência, autoridades da terra.
¹¹Adorem o Senhor com temor;
exultem com tremor.
¹²Beijem o filho,[b] para que ele não se ire
   e vocês não sejam destruídos de repente,
pois num instante acende-se a sua ira.
Como são felizes todos os que nele se refugiam!

Salmo 3

Salmo de Davi, quando fugiu de seu filho Absalão.

¹Senhor, muitos são os meus adversários!
Muitos se rebelam contra mim!
²São muitos os que dizem a meu respeito:
   "Deus nunca o salvará!"

Pausa[c]

³Mas tu, Senhor,
   és o escudo que me protege;
és a minha glória
   e me fazes andar de cabeça erguida.
⁴Ao Senhor clamo em alta voz,
   e do seu santo monte ele me responde.

Pausa

---

[a] **2:9** Ou *as governarás com cetro de ferro*
[b] **2:12** Os versículos 11 e 12 permitem traduções alternativas.
[c] **3:2** Hebraico: *Selá*; também em todo o livro de Salmos.

⁵Eu me deito e durmo, e torno a acordar,
    porque é o Senhor que me sustém.
⁶Não me assustam os milhares que me cercam.

⁷Levanta-te, Senhor!
Salva-me, Deus meu!
Quebra o queixo de todos os meus inimigos;
arrebenta os dentes dos ímpios.

⁸Do Senhor vem o livramento.
A tua bênção está sobre o teu povo.

Pausa

Salmo 4

*Para o mestre de música. Com instrumentos de cordas.
Salmo davídico.*

¹Responde-me quando clamo,
   ó Deus que me fazes justiça!
Dá-me alívio da minha angústia;
tem misericórdia de mim
   e ouve a minha oração.

²Até quando vocês, ó poderosos[a],
   ultrajarão a minha honra?[b]
Até quando estarão amando ilusões
   e buscando mentiras[c]?

Pausa

³Saibam que o Senhor escolheu o piedoso;
o Senhor ouvirá quando eu o invocar.

⁴Quando vocês ficarem irados, não pequem;
ao deitar-se reflitam nisso,
   e aquietem-se.

Pausa

⁵Ofereçam sacrifícios como Deus exige
   e confiem no Senhor.

---
[a] **4:2** Ou *mortais*
[b] **4:2** Ou *desonrarão aquele em quem me glorio?*
[c] **4:2** Ou *deuses falsos?*

⁶Muitos perguntam:
　"Quem nos fará desfrutar o bem?"
Faze, ó Senhor, resplandecer sobre nós
　a luz do teu rosto![a]
⁷Encheste o meu coração de alegria,
alegria maior do que a daqueles
　que têm fartura de trigo e de vinho.
⁸Em paz me deito e logo adormeço,
pois só tu, Senhor,
　me fazes viver em segurança.

Salmo 5

Para o mestre de música. Para flautas. Salmo davídico.

¹Escuta, Senhor, as minhas palavras,
　considera o meu gemer.
²Atenta para o meu grito de socorro,
　meu Rei e meu Deus,
pois é a ti que imploro.
³De manhã ouves, Senhor, o meu clamor;
de manhã te apresento a minha oração[b]
　e aguardo com esperança.

⁴Tu não és um Deus
　que tenha prazer na injustiça;
contigo o mal não pode habitar.
⁵Os arrogantes não são aceitos
　na tua presença;
odeias todos os que praticam o mal.
⁶Destróis os mentirosos;
os assassinos e os traiçoeiros
　o Senhor detesta.

⁷Eu, porém, pelo teu grande amor,
　entrarei em tua casa;
com temor me inclinarei
　para o teu santo templo.

---
[a] **4:6** Isto é, *mostra-nos, Senhor, a tua bondade!*
[b] **5:3** Ou *o meu sacrifício*

⁸Conduze-me, Senhor, na tua justiça,
   por causa dos meus inimigos;
aplaina o teu caminho diante de mim.

⁹Nos lábios deles não há palavra confiável;
   suas mentes só tramam destruição.
Suas gargantas são um túmulo aberto;
   com suas línguas enganam sutilmente.
¹⁰Condena-os, ó Deus!
Caiam eles por suas próprias maquinações.
Expulsa-os por causa dos seus muitos crimes,
   pois se rebelaram contra ti.

¹¹Alegrem-se, porém,
   todos os que se refugiam em ti;
cantem sempre de alegria!
Estende sobre eles a tua proteção.
Em ti exultem os que amam o teu nome.
¹²Pois tu, Senhor, abençoas o justo;
o teu favor o protege como um escudo.

Salmo 6

Para o mestre de música. Com instrumentos de cordas.
Em oitava. Salmo davídico.

¹Senhor, não me castigues na tua ira
   nem me disciplines no teu furor.
²Misericórdia, Senhor, pois vou desfalecendo!
Cura-me, Senhor, pois os meus ossos tremem:
³todo o meu ser estremece.
Até quando, Senhor, até quando?

⁴Volta-te, Senhor, e livra-me;
salva-me por causa do teu amor leal.
⁵Quem morreu não se lembra de ti.
Entre os mortos[a], quem te louvará?
⁶Estou exausto de tanto gemer.

---
[a] **6:5** Hebraico: *Sheol*. Essa palavra também pode ser traduzida por sepultura, profundezas, pó ou morte.

De tanto chorar inundo de noite
   a minha cama;
de lágrimas encharco o meu leito.
⁷Os meus olhos se consomem de tristeza;
fraquejam por causa de todos
   os meus adversários.

⁸Afastem-se de mim
   todos vocês que praticam o mal,
porque o Senhor ouviu o meu choro.
⁹O Senhor ouviu a minha súplica;
o Senhor aceitou a minha oração.
¹⁰Serão humilhados e aterrorizados
   todos os meus inimigos;
frustrados, recuarão de repente.

Salmo 7

Confissão de Davi, que ele cantou ao Senhor acerca de Cuxe, o benjamita.

¹Senhor, meu Deus, em ti me refugio;
salva-me e livra-me de todos
   os que me perseguem,
²para que, como leões,
   não me dilacerem nem me despedacem,
   sem que ninguém me livre.

³Senhor, meu Deus, se assim procedi,
se nas minhas mãos há injustiça,
⁴se fiz algum mal a um amigo
ou se poupei[a] sem motivo o meu adversário,
⁵persiga-me o meu inimigo até me alcançar,
no chão me pisoteie e aniquile a minha vida,
   lançando a minha honra no pó.

Pausa

⁶Levanta-te, Senhor, na tua ira;
ergue-te contra o furor dos meus adversários.
Desperta-te, meu Deus! Ordena a justiça!

---

[a] 7:4 Ou *explorei*

⁷Reúnam-se os povos ao teu redor.
Das alturas reina sobre eles.
⁸O Senhor é quem julga os povos.
Julga-me, Senhor, conforme a minha justiça,
 conforme a minha integridade.
⁹Deus justo,
 que sondas as mentes e os corações,
dá fim à maldade dos ímpios
 e ao justo dá segurança.

¹⁰O meu escudo está nas mãos de Deus,
 que salva o reto de coração.
¹¹Deus é um juiz justo,
 um Deus que manifesta cada dia o seu furor.
¹²Se o homem não se arrepende,
 Deus afia a sua espada,
 arma o seu arco e o aponta,
¹³prepara as suas armas mortais
 e faz de suas setas flechas flamejantes.

¹⁴Quem gera a maldade, concebe sofrimento
 e dá à luz a desilusão.
¹⁵Quem cava um buraco e o aprofunda
 cairá nessa armadilha que fez.
¹⁶Sua maldade se voltará contra ele;
sua violência cairá sobre a sua própria cabeça.

¹⁷Darei graças ao Senhor por sua justiça;
ao nome do Senhor Altíssimo
 cantarei louvores.

Salmo 8

Para o mestre de música. De acordo com a melodia Os Lagares.
Salmo davídico.

¹Senhor, Senhor nosso,
 como é majestoso o teu nome em toda a terra!
Tu, cuja glória é cantada nos céus.[a]

---

[a] **8:1** Ou *Puseste a tua glória nos céus*; ou ainda *Eu te cultuarei acima dos céus*.

²Dos lábios das crianças e dos recém-nascidos
 firmaste o teu nome como fortaleza[a],
por causa dos teus adversários,
 para silenciar o inimigo que busca vingança.

³Quando contemplo os teus céus,
 obra dos teus dedos,
a lua e as estrelas que ali firmaste,
⁴pergunto: Que é o homem,
 para que com ele te importes?
E o filho do homem,
 para que com ele te preocupes?

⁵Tu o fizeste um pouco menor
 do que os seres celestiais[b]
e o coroaste de glória e de honra.
⁶Tu o fizeste dominar
 sobre as obras das tuas mãos;
sob os seus pés tudo puseste:
⁷todos os rebanhos e manadas,
 e até os animais selvagens,
⁸as aves do céu, os peixes do mar
 e tudo o que percorre as veredas dos mares.

⁹Senhor, Senhor nosso,
 como é majestoso o teu nome em toda a terra!

Salmo 9

Para o mestre de música. De acordo com muth-laben[d]*.
Salmo davídico.*

¹Senhor, quero dar-te graças de todo o coração
 e falar de todas as tuas maravilhas.
²Em ti quero alegrar-me e exultar,
 e cantar louvores ao teu nome, ó Altíssimo.

³Quando os meus inimigos
 contigo se defrontam,

---
[a] **8:2** Ou *suscitaste louvor*
[b] **8:5** Ou *do que Deus*
[c] Os Salmos 9 e 10 talvez tenham sido originalmente um único poema, organizado em ordem alfabética, no hebraico. Na Septuaginta constituem um único salmo.
[d] Expressão de sentido desconhecido. Tradicionalmente: De acordo com a melodia *A Morte para o Filho*.

tropeçam e são destruídos.
⁴Pois defendeste o meu direito e a minha causa;
em teu trono te assentaste,
   julgando com justiça.
⁵Repreendeste as nações e destruíste os ímpios;
para todo o sempre apagaste o nome deles.
⁶O inimigo foi totalmente arrasado,
   para sempre;
desarraigaste as suas cidades;
   já não há quem delas se lembre.

⁷O Senhor reina para sempre;
estabeleceu o seu trono para julgar.
⁸Ele mesmo julga o mundo com justiça;
governa os povos com retidão.
⁹O Senhor é refúgio para os oprimidos,
uma torre segura na hora da adversidade.
¹⁰Os que conhecem o teu nome confiam em ti,
pois tu, Senhor, jamais abandonas
   os que te buscam.

¹¹Cantem louvores ao Senhor,
   que reina em Sião;
proclamem entre as nações os seus feitos.
¹²Aquele que pede contas do sangue derramado
   não esquece;
ele não ignora o clamor dos oprimidos.

¹³Misericórdia, Senhor!
Vê o sofrimento que me causam
   os que me odeiam.
Salva-me das portas da morte,
¹⁴para que, junto às portas da cidade[a] de Sião,
   eu cante louvores a ti
e ali exulte em tua salvação.
¹⁵Caíram as nações na cova que abriram;
os seus pés ficaram presos
   no laço que esconderam.

---

[a] 9:14 Hebraico: *filha*.

¹⁶O Senhor é conhecido
    pela justiça que executa;
os ímpios caem em suas próprias armadilhas.
Interlúdio[a]. *Pausa*

¹⁷Voltem os ímpios ao pó[b],
todas as nações que se esquecem de Deus!
¹⁸Mas os pobres nunca serão esquecidos,
nem se frustrará a esperança dos necessitados.

¹⁹Levanta-te, Senhor!
    Não permitas que o mortal triunfe!
Julgadas sejam as nações na tua presença.
²⁰Infunde-lhes terror, Senhor;
saibam as nações
    que não passam de seres humanos.
Pausa

Salmo 10

¹Senhor, por que estás tão longe?
    Por que te escondes em tempos de angústia?

²Em sua arrogância o ímpio persegue o pobre,
    que é apanhado em suas tramas.
³Ele se gaba de sua própria cobiça
e, em sua ganância,
    amaldiçoa[c] e insulta o Senhor.
⁴Em sua presunção o ímpio não o busca;
não há lugar para Deus
    em nenhum dos seus planos.
⁵Os seus caminhos prosperam sempre;
tão acima da sua compreensão estão as tuas leis
    que ele faz pouco caso
    de todos os seus adversários,
⁶pensando consigo mesmo: "Nada me abalará!
Desgraça alguma me atingirá,
nem a mim nem aos meus descendentes".

---
[a] **9:16** Hebraico: *Higaion*.
[b] **9:17** Hebraico: *Sheol*. Essa palavra também pode ser traduzida por sepultura, profundezas ou morte.
[c] **10:3** Hebraico: *abençoa*. Aqui empregado como eufemismo.

⁷Sua boca está cheia de maldições,
   mentiras e ameaças;
violência e maldade estão em sua língua.
⁸Fica à espreita perto dos povoados;
em emboscadas mata os inocentes,
   procurando às escondidas as suas vítimas.
⁹Fica à espreita como o leão escondido;
   fica à espreita para apanhar o necessitado;
apanha o necessitado e o arrasta para a sua rede.
¹⁰Agachado, fica de tocaia;
   as suas vítimas caem em seu poder.
¹¹Pensa consigo mesmo: "Deus se esqueceu;
   escondeu o rosto e nunca verá isto".

¹²Levanta-te, Senhor!
Ergue a tua mão, ó Deus!
Não te esqueças dos necessitados.
¹³Por que o ímpio insulta a Deus,
   dizendo no seu íntimo:
   "De nada me pedirás contas!"?
¹⁴Mas tu enxergas o sofrimento e a dor;
   observa-os para tomá-los em tuas mãos.
A vítima deles entrega-se a ti;
   tu és o protetor do órfão.
¹⁵Quebra o braço do ímpio e do perverso,
pede contas de sua impiedade
   até que dela nada mais se ache[a].

¹⁶O Senhor é rei para todo o sempre;
da sua terra desapareceram os outros povos.
¹⁷Tu, Senhor, ouves a súplica dos necessitados;
tu os reanimas e atendes ao seu clamor.
¹⁸Defendes o órfão e o oprimido,
   a fim de que o homem, que é pó,
   já não cause terror.

---

[a] **10:15** Ou *do contrário, não será descoberta*

Salmo 11

Para o mestre de música. Davídico.

¹No Senhor me refugio.
Como então vocês podem dizer-me:
  "Fuja como um pássaro para os montes"?
²Vejam! Os ímpios preparam os seus arcos;
colocam as flechas contra as cordas
para das sombras as atirarem
  nos retos de coração.
³Quando os fundamentos
  estão sendo destruídos,
que pode fazer o justo?

⁴O Senhor está no seu santo templo;
  o Senhor tem o seu trono nos céus.
Seus olhos observam;
  seus olhos examinam os filhos dos homens.
⁵O Senhor prova o justo,
  mas o ímpio e a quem[a] ama a injustiça,
  a sua alma odeia.
⁶Sobre os ímpios ele fará chover
  brasas ardentes e enxofre incandescente;
vento ressecante é o que terão.
⁷Pois o Senhor é justo, e ama a justiça;
os retos verão a sua face.

Salmo 12

Para o mestre de música. Em oitava. Salmo davídico.

¹Salva-nos, Senhor!
Já não há quem seja fiel;
já não se confia em ninguém entre os homens.
²Cada um mente ao seu próximo;
seus lábios bajuladores falam
  com segundas intenções.

---

[a] **11:5** Ou *O Senhor examina o justo e o ímpio, mas a quem*; ou ainda *O Senhor, o Justo, examina o ímpio, mas a quem*

³Que o Senhor corte
　todos os lábios bajuladores
　e a língua arrogante
⁴dos que dizem:
　"Venceremos graças à nossa língua;
　somos donos dos nossos lábios!ᵃ
　Quem é senhor sobre nós?"

⁵"Por causa da opressão do necessitado
e do gemido do pobre, agora me levantarei",
　diz o Senhor.
"Eu lhes darei a segurança que tanto anseiam."ᵇ
⁶As palavras do Senhor são puras,
　são como prata purificada num forno,
　sete vezes refinada.

⁷Senhor, tu nos guardarás seguros,
　e dessa gente nos protegerás para sempre.
⁸Os ímpios andam altivos por toda parte,
　quando a corrupção é exaltada entre os homens.

Salmo 13

Para o mestre de música. Salmo davídico.

¹Até quando, Senhor?
Para sempre te esquecerás de mim?
Até quando esconderás de mim o teu rosto?
²Até quando terei inquietações
　e tristeza no coração dia após dia?
Até quando o meu inimigo triunfará sobre mim?
³Olha para mim e responde, Senhor, meu Deus.
Ilumina os meus olhos,
　ou do contrário dormirei o sono da morte;
⁴os meus inimigos dirão: "Eu o venci",
　e os meus adversários festejarão o meu fracasso.
⁵Eu, porém, confio em teu amor;
o meu coração exulta em tua salvação.

ᵃ **12:4** Ou *nossos lábios são lâminas cortantes!*
ᵇ **12:5** Ou *"Eu os protegerei dos que anseiam destruí-los."*

⁶Quero cantar ao Senhor
　pelo bem que me tem feito.

Salmo 14

Para o mestre de música. Davídico.

¹Diz o tolo em seu coração: "Deus não existe".
Corromperam-se e cometeram atos detestáveis;
não há ninguém que faça o bem.

²O Senhor olha dos céus
　para os filhos dos homens,
para ver se há alguém que tenha entendimento,
　alguém que busque a Deus.
³Todos se desviaram,
　igualmente se corromperam;
não há ninguém que faça o bem,
　não há nem um sequer.

⁴Será que nenhum dos malfeitores aprende?
Eles devoram o meu povo
　como quem come pão,
e não clamam pelo Senhor!
⁵Olhem! Estão tomados de pavor!
Pois Deus está presente no meio dos justos.
⁶Vocês, malfeitores,
　frustram os planos dos pobres,
mas o refúgio deles é o Senhor.

⁷Ah, se de Sião viesse a salvação para Israel!
Quando o Senhor restaurar o seu[a] povo,
　Jacó exultará! Israel se regozijará!

Salmo 15

Salmo davídico.

¹Senhor, quem habitará no teu santuário?
Quem poderá morar no teu santo monte?

---
[a] **14:7** Ou *trouxer de volta os cativos do seu*

²Aquele que é íntegro em sua conduta
  e pratica o que é justo,
que de coração fala a verdade
³e não usa a língua para difamar,
que nenhum mal faz ao seu semelhante
  e não lança calúnia contra o seu próximo,
⁴que rejeita quem merece desprezo,
  mas honra os que temem o Senhor,
que mantém a sua palavra,
  mesmo quando sai prejudicado,
⁵que não empresta o seu dinheiro visando a lucro
  nem aceita suborno contra o inocente.

Quem assim procede
  nunca será abalado!

Salmo 16

Poema epigráfico davídico.

¹Protege-me, ó Deus,
  pois em ti me refugio.

²Ao Senhor declaro: "Tu és o meu Senhor;
  não tenho bem nenhum além de ti".
³Quanto aos fiéis que há na terra,
  eles é que são os notáveis
  em quem está todo o meu prazer.
⁴Grande será o sofrimento
  dos que correm atrás de outros deuses.[a]
Não participarei dos seus sacrifícios de sangue,
e os meus lábios nem mencionarão
  os seus nomes.

⁵Senhor, tu és a minha porção e o meu cálice;
és tu que garantes o meu futuro.
⁶As divisas caíram para mim
  em lugares agradáveis:
Tenho uma bela herança!

---

[a] **16:3-4** Ou *Quanto aos sacerdotes pagãos que estão na terra, e aos nobres em quem todos têm prazer, eu disse: Aumentarão suas tristezas, pois correm atrás de outros deuses.*

⁷Bendirei o Senhor, que me aconselha;
na escura noite o meu coração me ensina!
⁸Sempre tenho o Senhor diante de mim.
Com ele à minha direita, não serei abalado.
⁹Por isso o meu coração se alegra
   e no íntimo exulto;
mesmo o meu corpo repousará tranquilo,
¹⁰porque tu não me abandonarás no sepulcro[a],
nem permitirás que o teu santo
   sofra decomposição.
¹¹Tu me farás[b] conhecer a vereda da vida,
   a alegria plena da tua presença,
   eterno prazer à tua direita.

Salmo 17

Oração davídica.

¹Ouve, Senhor, a minha justa queixa;
   atenta para o meu clamor.
Dá ouvidos à minha oração,
   que não vem de lábios falsos.
²Venha de ti a sentença em meu favor;
vejam os teus olhos onde está a justiça!

³Provas o meu coração e de noite me examinas,
tu me sondas, e nada encontras;
decidi que a minha boca não pecará
⁴como fazem os homens.
Pela palavra dos teus lábios
   eu evitei os caminhos do violento.
⁵Meus passos seguem firmes nas tuas veredas;
os meus pés não escorregaram.

⁶Eu clamo a ti, ó Deus, pois tu me respondes;
inclina para mim os teus ouvidos
   e ouve a minha oração.

---

[a] **16:10** Hebraico: *Sheol*. Essa palavra também pode ser traduzida por profundezas, pó ou morte.
[b] **16:11** Ou *fizeste*

⁷Mostra a maravilha do teu amor,
tu, que com a tua mão direita salvas
 os que em ti buscam proteção
 contra aqueles que os ameaçam.
⁸Protege-me como à menina dos teus olhos;
esconde-me à sombra das tuas asas,
⁹dos ímpios que me atacam com violência,
dos inimigos mortais que me cercam.

¹⁰Eles fecham o coração insensível,
e com a boca falam com arrogância.
¹¹Eles me seguem os passos, e já me cercam;
seus olhos estão atentos,
 prontos para derrubar-me.
¹²São como um leão ávido pela presa,
como um leão forte agachado na emboscada.
¹³Levanta-te, Senhor!
 Confronta-os! Derruba-os!
 Com a tua espada livra-me dos ímpios.
¹⁴Com a tua mão, Senhor,
 livra-me de homens assim,
de homens deste mundo,
 cuja recompensa está nesta vida.
Enche-lhes o ventre de tudo
 o que lhes reservaste;
sejam os seus filhos saciados,
 e o que sobrar fique para os seus pequeninos.[a]

¹⁵Quanto a mim, feita a justiça, verei a tua face;
quando despertar, ficarei satisfeito
 ao ver a tua semelhança.

---

[a] **17:14** Ou *Tu sacias a fome daqueles a quem queres bem; os seus filhos têm fartura, e armazenam bens para os seus pequeninos.*

Salmo 18

Para o mestre de música. De Davi, servo do Senhor. Ele cantou as palavras deste cântico ao Senhor quando este o livrou das mãos de todos os seus inimigos e das mãos de Saul. Ele disse:

¹Eu te amo, ó Senhor, minha força.

²O Senhor é a minha rocha, a minha fortaleza
 e o meu libertador;
o meu Deus é o meu rochedo,
 em quem me refugio.
Ele é o meu escudo e o poder[a] que me salva,
 a minha torre alta.
³Clamo ao Senhor, que é digno de louvor,
e estou salvo dos meus inimigos.
⁴As cordas da morte me enredaram;
as torrentes da destruição me surpreenderam.
⁵As cordas do Sheol[b] me envolveram;
os laços da morte me alcançaram.
⁶Na minha aflição clamei ao Senhor;
gritei por socorro ao meu Deus.
Do seu templo ele ouviu a minha voz;
meu grito chegou à sua presença,
 aos seus ouvidos.

⁷A terra tremeu e agitou-se,
 e os fundamentos dos montes se abalaram;
estremeceram porque ele se irou.
⁸Das suas narinas subiu fumaça;
da sua boca saíram brasas vivas
 e fogo consumidor.
⁹Ele abriu os céus e desceu;
nuvens escuras estavam sob os seus pés.
¹⁰Montou um querubim e voou,
 deslizando sobre as asas do vento.
¹¹Fez das trevas o seu esconderijo,
das escuras nuvens, cheias de água,
o abrigo que o envolvia.

---
[a] **18:2** Hebraico: *chifre*.
[b] **18:5** Essa palavra pode ser traduzida por sepultura, profundezas, pó ou morte.

¹²Com o fulgor da sua presença
 as nuvens se desfizeram em granizo e raios,
¹³quando dos céus trovejou o Senhor,
 e ressoou a voz do Altíssimo.
¹⁴Atirou suas flechas e dispersou meus inimigos,
 com seus raios os derrotou.
¹⁵O fundo do mar apareceu,
 e os fundamentos da terra foram expostos
pela tua repreensão, ó Senhor,
 com o forte sopro das tuas narinas.

¹⁶Das alturas estendeu a mão e me segurou;
tirou-me das águas profundas.
¹⁷Livrou-me do meu inimigo poderoso,
dos meus adversários, fortes demais para mim.
¹⁸Eles me atacaram no dia da minha desgraça,
mas o Senhor foi o meu amparo.
¹⁹Ele me deu total libertação;[a]
livrou-me porque me quer bem.

²⁰O Senhor me tratou
 conforme a minha justiça;
conforme a pureza das minhas mãos
 recompensou-me.
²¹Pois segui os caminhos do Senhor;
não agi como ímpio,
 afastando-me do meu Deus.
²²Todas as suas ordenanças estão diante de mim;
não me desviei dos seus decretos.
²³Tenho sido irrepreensível para com ele
 e guardei-me de praticar o mal.
²⁴O Senhor me recompensou
 conforme a minha justiça,
conforme a pureza das minhas mãos
 diante dos seus olhos.

²⁵Ao fiel te revelas fiel,
ao irrepreensível te revelas irrepreensível,

---

[a] **18:19** Hebraico: *Ele me levou para um local espaçoso.*

²⁶ao puro te revelas puro,
mas com o perverso reages à altura.
²⁷Salvas os que são humildes,
mas humilhas os de olhos altivos.
²⁸Tu, Senhor, manténs acesa a minha lâmpada;
o meu Deus transforma em luz as minhas trevas.
²⁹Com o teu auxílio posso atacar uma tropa;
com o meu Deus posso transpor muralhas.

³⁰Este é o Deus cujo caminho é perfeito;
a palavra do Senhor
 é comprovadamente genuína.
Ele é um escudo para todos
 os que nele se refugiam.
³¹Pois quem é Deus além do Senhor?
E quem é rocha senão o nosso Deus?
³²Ele é o Deus que me reveste de força
e torna perfeito o meu caminho.
³³Torna os meus pés ágeis como os da corça,
sustenta-me firme nas alturas.
³⁴Ele treina as minhas mãos para a batalha
e os meus braços
 para vergar um arco de bronze.
³⁵Tu me dás o teu escudo de vitória;
tua mão direita me sustém;
desces ao meu encontro para exaltar-me.
³⁶Deixaste livre o meu caminho,
 para que não se torçam os meus tornozelos.

³⁷Persegui os meus inimigos e os alcancei;
e não voltei enquanto não foram destruídos.
³⁸Massacrei-os, e não puderam levantar-se;
jazem debaixo dos meus pés.
³⁹Deste-me força para o combate;
subjugaste os que se rebelaram contra mim.
⁴⁰Puseste os meus inimigos em fuga
e exterminei os que me odiavam.
⁴¹Gritaram por socorro,
 mas não houve quem os salvasse;
clamaram ao Senhor, mas ele não respondeu.

⁴²Eu os reduzi a pó, pó que o vento leva.
  Pisei-os como à lama das ruas.

⁴³Tu me livraste de um povo em revolta;
fizeste-me o cabeça de nações;
um povo que não conheci sujeita-se a mim.
⁴⁴Assim que me ouvem, me obedecem;
são estrangeiros que se submetem a mim.
⁴⁵Todos eles perderam a coragem;
tremendo, saem das suas fortalezas.

⁴⁶O Senhor vive! Bendita seja a minha Rocha!
Exaltado seja Deus, o meu Salvador!
⁴⁷Este é o Deus que em meu favor
  executa vingança,
que a mim sujeita nações.
⁴⁸Tu me livraste dos meus inimigos;
sim, fizeste-me triunfar
  sobre os meus agressores,
  e de homens violentos me libertaste.
⁴⁹Por isso eu te louvarei entre as nações,
  ó Senhor;
cantarei louvores ao teu nome.
⁵⁰Ele dá grandes vitórias ao seu rei;
é bondoso com o seu ungido,
com Davi e os seus descendentes para sempre.

Salmo 19

Para o mestre de música. Salmo davídico.

¹Os céus declaram a glória de Deus;
o firmamento proclama a obra das suas mãos.
²Um dia fala disso a outro dia;
uma noite o revela a outra noite.
³Sem discurso nem palavras,
  não se ouve a sua voz.
⁴Mas a sua voz[a] ressoa por toda a terra,
e as suas palavras, até os confins do mundo.

---

[a] **19:4** Conforme a Septuaginta e a Versão Siríaca. O Texto Massorético diz *corda*.

Nos céus ele armou uma tenda para o sol,
⁵que é como um noivo que sai de seu aposento
  e se lança em sua carreira
  com a alegria de um herói.
⁶Sai de uma extremidade dos céus
  e faz o seu trajeto até a outra;
nada escapa ao seu calor.

⁷A lei do Senhor é perfeita, e revigora a alma.
Os testemunhos do Senhor
  são dignos de confiança,
  e tornam sábios os inexperientes.
⁸Os preceitos do Senhor são justos,
  e dão alegria ao coração.
Os mandamentos do Senhor são límpidos,
  e trazem luz aos olhos.
⁹O temor do Senhor é puro,
  e dura para sempre.
As ordenanças do Senhor são verdadeiras,
  são todas elas justas.
¹⁰São mais desejáveis do que o ouro,
  do que muito ouro puro;
são mais doces do que o mel,
  do que as gotas do favo.
¹¹Por elas o teu servo é advertido;
há grande recompensa em obedecer-lhes.

¹²Quem pode discernir os próprios erros?
  Absolve-me dos que desconheço!
¹³Também guarda o teu servo
  dos pecados intencionais;
que eles não me dominem!
  Então serei íntegro,
inocente de grande transgressão.

¹⁴Que as palavras da minha boca
  e a meditação do meu coração
  sejam agradáveis a ti,
Senhor, minha Rocha e meu Resgatador!

Salmo 20

Para o mestre de música. Salmo davídico.

¹Que o SENHOR te responda
   no tempo da angústia;
o nome do Deus de Jacó te proteja!
²Do santuário te envie auxílio
e de Sião te dê apoio.
³Lembre-se de todas as tuas ofertas
e aceite os teus holocaustos[a].

Pausa

⁴Conceda-te o desejo do teu coração
e leve a efeito todos os teus planos.
⁵Saudaremos a tua vitória com gritos de alegria
e ergueremos as nossas bandeiras
   em nome do nosso Deus.
Que o SENHOR atenda todos os teus pedidos!

⁶Agora sei que o SENHOR
   dará vitória ao seu ungido;
dos seus santos céus lhe responde
   com o poder salvador da sua mão direita.
⁷Alguns confiam em carros e outros em cavalos,
mas nós confiamos
no nome do SENHOR, o nosso Deus.
⁸Eles vacilam e caem,
mas nós nos erguemos e estamos firmes.

⁹SENHOR, concede vitória ao rei!
Responde-nos[b] quando clamamos!

Salmo 21

Para o mestre de música. Salmo davídico.

¹O rei se alegra na tua força, ó SENHOR!
Como é grande a sua exultação
   pelas vitórias que lhe dás!

---

[a] **20:3** Isto é, sacrifícios totalmente queimados.
[b] **20:9** Ou *Vitória! Ó Rei, responde-nos*

²Tu lhe concedeste o desejo do seu coração
 e não lhe rejeitaste o pedido
 dos seus lábios.

Pausa

³Tu o recebeste dando-lhe ricas bênçãos,
e em sua cabeça
 puseste uma coroa de ouro puro.
⁴Ele te pediu vida, e tu lhe deste!
 Vida longa e duradoura.

⁵Pelas vitórias que lhe deste,
 grande é a sua glória;
de esplendor e majestade o cobriste.
⁶Fizeste dele uma grande bênção para sempre
e lhe deste a alegria da tua presença.
⁷O rei confia no Senhor:
por causa da fidelidade do Altíssimo
 ele não será abalado.

⁸Tua mão alcançará todos os teus inimigos;
tua mão direita atingirá todos os que te odeiam.
⁹No dia em que te manifestares
 farás deles uma fornalha ardente.
Na sua ira o Senhor os devorará,
 um fogo os consumirá.
¹⁰Acabarás com a geração deles na terra,
com a sua descendência entre os homens.
¹¹Embora tramem o mal contra ti
 e façam planos perversos,
nada conseguirão;
¹²pois tu os porás em fuga
quando apontares para eles o teu arco.

¹³Sê exaltado, Senhor, na tua força!
 Cantaremos e louvaremos o teu poder.

Salmo 22

Para o mestre de música. De acordo com a melodia
 A Corça da Manhã. *Salmo davídico.*

¹Meu Deus! Meu Deus!
 Por que me abandonaste?

Por que estás tão longe de salvar-me,
tão longe dos meus gritos de angústia?
²Meu Deus!
Eu clamo de dia, mas não respondes;
de noite, e não recebo alívio!
³Tu, porém, és o Santo,
és rei, és o louvor de Israel.
⁴Em ti os nossos antepassados
   puseram a sua confiança;
confiaram, e os livraste.
⁵Clamaram a ti, e foram libertos;
em ti confiaram, e não se decepcionaram.

⁶Mas eu sou verme, e não homem,
motivo de zombaria
   e objeto de desprezo do povo.
⁷Caçoam de mim todos os que me veem;
balançando a cabeça,
   lançam insultos contra mim, dizendo:
⁸"Recorra ao Senhor!
   Que o Senhor o liberte!
   Que ele o livre, já que lhe quer bem!"

⁹Contudo, tu mesmo me tiraste do ventre;
deste-me segurança
   junto ao seio de minha mãe.
¹⁰Desde que nasci fui entregue a ti;
desde o ventre materno és o meu Deus.

¹¹Não fiques distante de mim,
pois a angústia está perto
   e não há ninguém que me socorra.
¹²Muitos touros me cercam,
sim, rodeiam-me os poderosos de Basã.
¹³Como leão voraz rugindo,
   escancaram a boca contra mim.
¹⁴Como água me derramei,
e todos os meus ossos estão desconjuntados.
Meu coração se tornou como cera;
derreteu-se no meu íntimo.

¹⁵Meu vigor secou-se como um caco de barro,
e a minha língua gruda no céu da boca;
deixaste-me no pó, à beira da morte.
¹⁶Cães me rodearam!
   Um bando de homens maus me cercou!
   Perfuraram minhas mãos e meus pés.
¹⁷Posso contar todos os meus ossos,
   mas eles me encaram com desprezo.
¹⁸Dividiram as minhas roupas entre si,
   e lançaram sortes pelas minhas vestes.

¹⁹Tu, porém, Senhor, não fiques distante!
Ó minha força, vem logo em meu socorro!
²⁰Livra-me da espada,
livra a minha vida do ataque dos cães.
²¹Salva-me da boca dos leões,
   e dos chifres dos bois selvagens.
E tu me respondeste.

²²Proclamarei o teu nome a meus irmãos;
na assembleia te louvarei.
²³Louvem-no, vocês que temem o Senhor!
Glorifiquem-no, todos vocês,
   descendentes de Jacó!
Tremam diante dele, todos vocês,
   descendentes de Israel!
²⁴Pois não menosprezou
   nem repudiou o sofrimento do aflito;
não escondeu dele o rosto,
   mas ouviu o seu grito de socorro.

²⁵De ti vem o tema do meu louvor
   na grande assembleia;
na presença dos que te[a] temem
   cumprirei os meus votos.
²⁶Os pobres comerão até ficarem satisfeitos;
aqueles que buscam o Senhor o louvarão!
   Que vocês tenham vida longa!
²⁷Todos os confins da terra
   se lembrarão e se voltarão para o Senhor,

---

[a] **22:25** Hebraico: *o*.

e todas as famílias das nações
   se prostrarão diante dele,
²⁸pois do Senhor é o reino;
ele governa as nações.

²⁹Todos os ricos da terra
   se banquetearão e o adorarão;
haverão de ajoelhar-se diante dele
   todos os que descem ao pó,
   cuja vida se esvai.
³⁰A posteridade o servirá;
gerações futuras ouvirão falar do Senhor,
³¹e a um povo que ainda não nasceu
   proclamarão seus feitos de justiça,
pois ele agiu poderosamente.

Salmo 23

Salmo davídico.

¹O Senhor é o meu pastor; de nada terei falta.
²Em verdes pastagens me faz repousar
   e me conduz a águas tranquilas;
³restaura-me o vigor.
Guia-me nas veredas da justiça
   por amor do seu nome.

⁴Mesmo quando eu andar
   por um vale de trevas e morte,
não temerei perigo algum, pois tu estás comigo;
   a tua vara e o teu cajado me protegem.

⁵Preparas um banquete para mim
   à vista dos meus inimigos.
Tu me honras,
   ungindo a minha cabeça com óleo
   e fazendo transbordar o meu cálice.
⁶Sei que a bondade e a fidelidade
   me acompanharão todos os dias da minha vida,
e voltarei à[a] casa do Senhor enquanto eu viver.

---

[a] **23:6** A Septuaginta e outras versões antigas dizem *habitarei na*.

Salmo 24

Salmo davídico.

¹Do Senhor é a terra e tudo o que nela existe,
o mundo e os que nele vivem;
²pois foi ele quem fundou-a sobre os mares
e firmou-a sobre as águas.

³Quem poderá subir o monte do Senhor?
Quem poderá entrar no seu Santo Lugar?
⁴Aquele que tem as mãos limpas
   e o coração puro,
que não recorre aos ídolos
   nem jura por deuses falsos[a].
⁵Ele receberá bênçãos do Senhor,
e Deus, o seu Salvador lhe fará justiça.
⁶São assim aqueles que o buscam,
   que buscam a tua face, ó Deus de Jacó[b].

Pausa

⁷Abram-se, ó portais;
   abram-se,[c] ó portas antigas,
para que o Rei da glória entre.
⁸Quem é o Rei da glória?
O Senhor forte e valente,
o Senhor valente nas guerras.
⁹Abram-se, ó portais;
   abram-se, ó portas antigas,
para que o Rei da glória entre.
¹⁰Quem é esse Rei da glória?
O Senhor dos Exércitos;
   ele é o Rei da glória!

Pausa

---

[a] **24:4** Ou *não se volta para a mentira nem jura falsamente*
[b] **24:6** Conforme dois manuscritos do Texto Massorético, a Versão Siríaca e a Septuaginta. A maioria dos manuscritos do Texto Massorético diz *a tua face, Jacó*.
[c] **24:7** Hebraico: *Levantem a cabeça, ó portais; estejam erguidas*; também no versículo 9.

Salmo 25[a]

Davídico.

¹A ti, Senhor, elevo a minha alma.
²Em ti confio, ó meu Deus.
Não deixes que eu seja humilhado,
nem que os meus inimigos triunfem sobre mim!
³Nenhum dos que esperam em ti
  ficará decepcionado;
decepcionados ficarão
  aqueles que, sem motivo, agem traiçoeiramente.

⁴Mostra-me, Senhor, os teus caminhos,
ensina-me as tuas veredas;
⁵guia-me com a tua verdade e ensina-me,
  pois tu és Deus, meu Salvador,
e a minha esperança está em ti o tempo todo.
⁶Lembra-te, Senhor,
  da tua compaixão e da tua misericórdia,
  que tens mostrado desde a antiguidade.
⁷Não te lembres dos pecados e transgressões
  da minha juventude;
conforme a tua misericórdia, lembra-te de mim,
  pois tu, Senhor, és bom.

⁸Bom e justo é o Senhor;
por isso mostra o caminho aos pecadores.
⁹Conduz os humildes na justiça
e lhes ensina o seu caminho.
¹⁰Todos os caminhos do Senhor
  são amor e fidelidade
para com os que cumprem
  os preceitos da sua aliança.
¹¹Por amor do teu nome, Senhor,
perdoa o meu pecado, que é tão grande!
¹²Quem é o homem que teme o Senhor?
Ele o instruirá no caminho que deve seguir.
¹³Viverá em prosperidade,
e os seus descendentes herdarão a terra.

---

[a] O salmo 25 é um poema organizado em ordem alfabética, no hebraico.

¹⁴O Senhor confia os seus segredos
  aos que o temem,
e os leva a conhecer a sua aliança.
¹⁵Os meus olhos estão sempre voltados
  para o Senhor,
pois só ele tira os meus pés da armadilha.

¹⁶Volta-te para mim e tem misericórdia de mim,
  pois estou só e aflito.
¹⁷As angústias do meu coração se multiplicaram;
  liberta-me da minha aflição.
¹⁸Olha para a minha tribulação
  e o meu sofrimento,
e perdoa todos os meus pecados.
¹⁹Vê como aumentaram os meus inimigos
  e com que fúria me odeiam!
²⁰Guarda a minha vida e livra-me!
Não me deixes decepcionado,
  pois eu me refugio em ti.
²¹Que a integridade e a retidão me protejam,
porque a minha esperança está em ti.

²²Ó Deus, liberta Israel de todas as suas aflições!

Salmo 26

Davídico.

¹Faze-me justiça, Senhor,
  pois tenho vivido com integridade.
Tenho confiado no Senhor, sem vacilar.
²Sonda-me, Senhor, e prova-me,
examina o meu coração e a minha mente;
³pois o teu amor está sempre diante de mim,
e continuamente sigo a tua verdade.
⁴Não me associo com homens falsos,
nem ando com hipócritas;
⁵detesto o ajuntamento dos malfeitores,
e não me assento com os ímpios.
⁶Lavo as mãos na inocência,
e do teu altar, Senhor, me aproximo

⁷cantando hinos de gratidão
  e falando de todas as tuas maravilhas.
⁸Eu amo, Senhor, o lugar da tua habitação,
  onde a tua glória habita.

⁹Não me dês o destino dos pecadores,
nem o fim dos assassinos;
¹⁰suas mãos executam planos perversos,
praticam suborno abertamente.

¹¹Mas eu vivo com integridade;
livra-me e tem misericórdia de mim.
¹²Os meus pés estão firmes na retidão;
na grande assembleia bendirei o Senhor.

Salmo 27

Davídico.

¹O Senhor é a minha luz e a minha salvação;
  de quem terei temor?
O Senhor é o meu forte refúgio;
  de quem terei medo?
²Quando homens maus avançarem contra mim
  para destruir-me[a],
eles, meus inimigos e meus adversários,
  é que tropeçarão e cairão.
³Ainda que um exército se acampe contra mim,
  meu coração não temerá;
ainda que se declare guerra contra mim,
  mesmo assim estarei confiante.

⁴Uma coisa pedi ao Senhor;
  é o que procuro:
que eu possa viver na casa do Senhor
  todos os dias da minha vida,
para contemplar a bondade do Senhor
  e buscar sua orientação no seu templo.
⁵Pois no dia da adversidade
  ele me guardará protegido em sua habitação;

---
[a] **27:2** Hebraico: *devorar a minha carne.*

no seu tabernáculo me esconderá
  e me porá em segurança sobre um rochedo.
⁶Então triunfarei sobre os inimigos
  que me cercam.
Em seu tabernáculo oferecerei sacrifícios
  com aclamações;
cantarei e louvarei ao Senhor.

⁷Ouve a minha voz quando clamo, ó Senhor;
tem misericórdia de mim e responde-me.
⁸A teu respeito diz o meu coração:
  Busque a minha face![a]
A tua face, Senhor, buscarei.
⁹Não escondas de mim a tua face,
não rejeites com ira o teu servo;
tu tens sido o meu ajudador.
Não me desampares nem me abandones,
  ó Deus, meu salvador!
¹⁰Ainda que me abandonem pai e mãe,
  o Senhor me acolherá.
¹¹Ensina-me o teu caminho, Senhor;
conduze-me por uma vereda segura
  por causa dos meus inimigos.
¹²Não me entregues
  ao capricho dos meus adversários,
pois testemunhas falsas se levantam contra mim,
  respirando violência.

¹³Apesar disso, esta certeza eu tenho:
  viverei até ver a bondade do Senhor na terra.
¹⁴Espere no Senhor.
  Seja forte! Coragem!
  Espere no Senhor.

Salmo 28

Davídico.

¹A ti eu clamo, Senhor, minha Rocha;
  não fiques indiferente para comigo.

---
[a] **27:8** Ou *A você, ó meu coração, ele diz: "Busque a minha face!"*

Se permaneceres calado,
 serei como os que descem à cova.
²Ouve as minhas súplicas
 quando clamo a ti por socorro,
quando ergo as mãos
 para o teu Lugar Santíssimo.

³Não me dês o castigo reservado para os ímpios
 e para os malfeitores,
que falam como amigos com o próximo,
 mas abrigam maldade no coração.
⁴Retribui-lhes conforme os seus atos,
 conforme as suas más obras;
retribui-lhes o que as suas mãos têm feito
 e dá-lhes o que merecem.
⁵Visto que não consideram os feitos do Senhor,
 nem as obras de suas mãos,
ele os arrasará e jamais os deixará reerguer-se.

⁶Bendito seja o Senhor,
 pois ouviu as minhas súplicas.
⁷O Senhor é a minha força e o meu escudo;
 nele o meu coração confia, e dele recebo ajuda.
Meu coração exulta de alegria,
 e com o meu cântico lhe darei graças.
⁸O Senhor é a força do seu povo,
 a fortaleza que salva o seu ungido.

⁹Salva o teu povo e abençoa a tua herança!
Cuida deles como o seu pastor
 e conduze-os para sempre.

Salmo 29

Salmo davídico.

¹Atribuam ao Senhor, ó seres celestiais[a],
 atribuam ao Senhor glória e força.
²Atribuam ao Senhor
 a glória que o seu nome merece;

---
[a] 29:1 Ou *filhos de Deus*; ou ainda *poderosos*

adorem o Senhor
   no esplendor do seu santuário[a].

³A voz do Senhor ressoa sobre as águas;
   o Deus da glória troveja,
o Senhor troveja sobre as muitas águas.
⁴A voz do Senhor é poderosa;
a voz do Senhor é majestosa.
⁵A voz do Senhor quebra os cedros;
   o Senhor despedaça os cedros do Líbano.
⁶Ele faz o Líbano saltar como bezerro,
o Siriom[b] como novilho selvagem.
⁷A voz do Senhor corta os céus
   com raios flamejantes.
⁸A voz do Senhor faz tremer o deserto;
   o Senhor faz tremer o deserto de Cades.
⁹A voz do Senhor retorce os carvalhos[c]
   e despe as florestas.
E no seu templo todos clamam: "Glória!"

¹⁰O Senhor assentou-se soberano
   sobre o Dilúvio;
o Senhor reina soberano para sempre.
¹¹O Senhor dá força ao seu povo;
   o Senhor dá a seu povo a bênção da paz.

Salmo 30

Salmo. Cântico para a dedicação do templo[d]. Davídico.

¹Eu te exaltarei, Senhor,
   pois tu me reergueste
e não deixaste que os meus inimigos
   se divertissem à minha custa.
²Senhor meu Deus, a ti clamei por socorro,
e tu me curaste.
³Senhor, tiraste-me da sepultura[e];
prestes a descer à cova, devolveste-me à vida.

---
[a] **29:2** Ou *da sua santidade*
[b] **29:6** Isto é, o monte Hermom.
[c] **29:9** Ou *faz a corça dar cria*
[d] Título: Ou *do palácio*. Hebraico: *casa*.
[e] **30:3** Hebraico: *Sheol*. Essa palavra também pode ser traduzida por profundezas, pó ou morte.

⁴Cantem louvores ao Senhor,
  vocês, os seus fiéis;
louvem o seu santo nome.
⁵Pois a sua ira só dura um instante,
  mas o seu favor dura a vida toda;
o choro pode persistir uma noite,
  mas de manhã irrompe a alegria.

⁶Quando me senti seguro, disse:
  Jamais serei abalado!
⁷Senhor, com o teu favor,
  deste-me firmeza e estabilidade;[a]
mas, quando escondeste a tua face,
  fiquei aterrorizado.

⁸A ti, Senhor, clamei,
ao Senhor pedi misericórdia:
⁹Se eu morrer[b], se eu descer à cova,
  que vantagem haverá?
Acaso o pó te louvará?
Proclamará a tua fidelidade?
¹⁰Ouve, Senhor, e tem misericórdia de mim;
  Senhor, sê tu o meu auxílio.

¹¹Mudaste o meu pranto em dança,
a minha veste de lamento em veste de alegria,
¹²para que o meu coração
  cante louvores a ti e não se cale.
Senhor, meu Deus,
  eu te darei graças para sempre.

Salmo 31

Para o mestre de música. Salmo davídico.

¹Em ti, Senhor, me refugio;
  nunca permitas que eu seja humilhado;
  livra-me pela tua justiça.
²Inclina os teus ouvidos para mim,
  vem livrar-me depressa!

---
[a] **30:7** Hebraico: *firmaste a minha montanha.*
[b] **30:9** Hebraico: *No meu sangue.*

Sê minha rocha de refúgio,
uma fortaleza poderosa para me salvar.
³Sim, tu és a minha rocha e a minha fortaleza;
por amor do teu nome, conduze-me e guia-me.
⁴Tira-me da armadilha que me prepararam,
  pois tu és o meu refúgio.
⁵Nas tuas mãos entrego o meu espírito;
resgata-me, Senhor, Deus da verdade.

⁶Odeio aqueles que se apegam a ídolos inúteis;
eu, porém, confio no Senhor.
⁷Exultarei com grande alegria por teu amor,
pois viste a minha aflição
  e conheceste a angústia da minha alma.
⁸Não me entregaste
  nas mãos dos meus inimigos;
deste-me segurança e liberdade.[a]

⁹Misericórdia, Senhor! Estou em desespero!
A tristeza me consome
  a vista, o vigor e o apetite[b].
¹⁰Minha vida é consumida pela angústia,
  e os meus anos pelo gemido;
minha aflição[c] esgota as minhas forças,
  e os meus ossos se enfraquecem.
¹¹Por causa de todos os meus adversários,
  sou motivo de ultraje para os meus vizinhos
  e de medo para os meus amigos;
os que me veem na rua fogem de mim.
¹²Sou esquecido por eles
  como se estivesse morto;
tornei-me como um pote quebrado.
¹³Ouço muitos cochicharem a meu respeito;
  o pavor me domina,
pois conspiram contra mim,
  tramando tirar-me a vida.
¹⁴Mas eu confio em ti, Senhor,
  e digo: Tu és o meu Deus.

---
[a] **31:8** Hebraico: *puseste os meus pés num lugar espaçoso.*
[b] **31:9** Ou *os olhos, a garganta e o ventre*
[c] **31:10** Ou *culpa*

¹⁵O meu futuro está nas tuas mãos;
livra-me dos meus inimigos
  e daqueles que me perseguem.
¹⁶Faze o teu rosto resplandecer
  sobreᵃ o teu servo;
salva-me por teu amor leal.
¹⁷Não permitas que eu seja humilhado, Senhor,
  pois tenho clamado a ti;
mas que os ímpios sejam humilhados,
  e calados fiquem no Sheolᵇ.
¹⁸Sejam emudecidos os seus lábios mentirosos,
pois com arrogância e desprezo
  humilham os justos.

¹⁹Como é grande a tua bondade,
  que reservaste para aqueles que te temem,
e que, à vista dos homens,
  concedes àqueles que se refugiam em ti!
²⁰No abrigo da tua presença os escondes
  das intrigas dos homens;
na tua habitação os proteges
  das línguas acusadoras.

²¹Bendito seja o Senhor,
pois mostrou o seu maravilhoso amor
  para comigo
quando eu estava numa cidade cercada.
²²Alarmado, eu disse:
  Fui excluído da tua presença!
Contudo, ouviste as minhas súplicas
  quando clamei a ti por socorro.

²³Amem o Senhor, todos vocês, os seus santos!
O Senhor preserva os fiéis,
  mas aos arrogantes dá o que merecem.
²⁴Sejam fortes e corajosos,
  todos vocês que esperam no Senhor!

ᵃ **31:16** Isto é, mostra a tua bondade para com.
ᵇ **31:17** Essa palavra pode ser traduzida por sepultura, profundezas, pó ou morte.

Salmo 32

Davídico. Poema.

¹Como é feliz aquele
  que tem suas transgressões perdoadas
  e seus pecados apagados!
²Como é feliz aquele
  a quem o Senhor não atribui culpa
  e em quem não há hipocrisia!

³Enquanto eu mantinha escondidos os meus pecados,
  o meu corpo definhava de tanto gemer.
⁴Pois dia e noite
  a tua mão pesava sobre mim;
minhas forças foram-se esgotando
  como em tempo de seca.

Pausa

⁵Então reconheci diante de ti o meu pecado
  e não encobri as minhas culpas.
Eu disse: Confessarei as minhas transgressões ao Senhor,
  e tu perdoaste a culpa do meu pecado.

Pausa

⁶Portanto, que todos os que são fiéis orem a ti
  enquanto podes ser encontrado;
quando as muitas águas se levantarem,
  elas não os atingirão.
⁷Tu és o meu abrigo;
tu me preservarás das angústias
e me cercarás de canções de livramento.

Pausa

⁸Eu o instruirei e o ensinarei
  no caminho que você deve seguir;
eu o aconselharei e cuidarei de você.

⁹Não sejam como o cavalo ou o burro,
  que não têm entendimento
mas precisam ser controlados
  com freios e rédeas,
caso contrário não obedecem.

¹⁰Muitas são as dores dos ímpios,
mas a bondade do Senhor
    protege quem nele confia.
¹¹Alegrem-se no Senhor e exultem,
    vocês que são justos!
Cantem de alegria,
    todos vocês que são retos de coração!

Salmo 33

¹Cantem de alegria ao Senhor,
    vocês que são justos;
aos que são retos fica bem louvá-lo.
²Louvem o Senhor com harpa;
ofereçam-lhe música com lira de dez cordas.
³Cantem-lhe uma nova canção;
toquem com habilidade ao aclamá-lo.

⁴Pois a palavra do Senhor é verdadeira;
ele é fiel em tudo o que faz.
⁵Ele ama a justiça e a retidão;
a terra está cheia da bondade do Senhor.

⁶Mediante a palavra do Senhor
    foram feitos os céus,
e os corpos celestes, pelo sopro de sua boca.
⁷Ele ajunta as águas do mar num só lugar;
das profundezas faz reservatórios.
⁸Toda a terra tema o Senhor;
tremam diante dele
    todos os habitantes do mundo.
⁹Pois ele falou, e tudo se fez;
ele ordenou, e tudo surgiu.
¹⁰O Senhor desfaz os planos das nações
e frustra os propósitos dos povos.
¹¹Mas os planos do Senhor
    permanecem para sempre,
os propósitos do seu coração,
    por todas as gerações.

¹²Como é feliz a nação
   que tem o Senhor como Deus,
o povo que ele escolheu para lhe pertencer!
¹³Dos céus olha o Senhor
   e vê toda a humanidade;
¹⁴do seu trono ele observa
   todos os habitantes da terra;
¹⁵ele, que forma o coração de todos,
   que conhece tudo o que fazem.
¹⁶Nenhum rei se salva
   pelo tamanho do seu exército;
nenhum guerreiro escapa por sua grande força.
¹⁷O cavalo é vã esperança de vitória;
   apesar da sua grande força, é incapaz de salvar.
¹⁸Mas o Senhor protege aqueles que o temem,
   aqueles que firmam a esperança no seu amor,
¹⁹para livrá-los da morte e garantir-lhes vida,
   mesmo em tempos de fome.

²⁰Nossa esperança está no Senhor;
ele é o nosso auxílio e a nossa proteção.
²¹Nele se alegra o nosso coração,
pois confiamos no seu santo nome.
²²Esteja sobre nós o teu amor, Senhor,
   como está em ti a nossa esperança.

Salmo 34[a]

De Davi, quando ele se fingiu de louco diante de Abimeleque, que o expulsou, e ele partiu.

¹Bendirei o Senhor o tempo todo!
Os meus lábios sempre o louvarão.
²Minha alma se gloriará no Senhor;
ouçam os oprimidos e se alegrem.
³Proclamem a grandeza do Senhor comigo;
juntos exaltemos o seu nome.

⁴Busquei o Senhor, e ele me respondeu;
livrou-me de todos os meus temores.

---
[a] O Salmo 34 é um poema organizado em ordem alfabética, no hebraico.

⁵Os que olham para ele
   estão radiantes de alegria;
seus rostos jamais mostrarão decepção.
⁶Este pobre homem clamou,
   e o SENHOR o ouviu;
e o libertou de todas as suas tribulações.
⁷O anjo do SENHOR é sentinela ao redor
   daqueles que o temem,
   e os livra.

⁸Provem, e vejam como o SENHOR é bom.
   Como é feliz o homem que nele se refugia!
⁹Temam o SENHOR,
   vocês que são os seus santos,
pois nada falta aos que o temem.
¹⁰Os leões[a] podem passar necessidade e fome,
mas os que buscam o SENHOR de nada têm falta.

¹¹Venham, meus filhos, ouçam-me;
eu lhes ensinarei o temor do SENHOR.
¹²Quem de vocês quer amar a vida
e deseja ver dias felizes?
¹³Guarde a sua língua do mal
e os seus lábios da falsidade.
¹⁴Afaste-se do mal e faça o bem;
busque a paz com perseverança.
¹⁵Os olhos do SENHOR voltam-se para os justos
e os seus ouvidos
   estão atentos ao seu grito de socorro;
¹⁶o rosto do SENHOR
   volta-se contra os que praticam o mal,
para apagar da terra a memória deles.

¹⁷Os justos clamam, o SENHOR os ouve
e os livra de todas as suas tribulações.
¹⁸O SENHOR está perto
   dos que têm o coração quebrantado
e salva os de espírito abatido.

¹⁹O justo passa por muitas adversidades,
mas o SENHOR o livra de todas;

---
[a] **34:10** A Septuaginta e a Versão Siríaca dizem *ricos*.

²⁰protege todos os seus ossos;
nenhum deles será quebrado.

²¹A desgraça matará os ímpios;[a]
   os que odeiam o justo serão condenados.
²²O Senhor redime a vida dos seus servos;
ninguém que nele se refugia será condenado.

Salmo 35

Davídico.

¹Defende-me, Senhor, dos que me acusam;
luta contra os que lutam comigo.
²Toma os escudos, o grande e o pequeno;
levanta-te e vem socorrer-me.
³Empunha a lança e o machado de guerra[b]
   contra os meus perseguidores.
Dize à minha alma: "Eu sou a sua salvação".

⁴Sejam humilhados e desprezados
   os que procuram matar-me;
retrocedam envergonhados
   aqueles que tramam a minha ruína.
⁵Que eles sejam como a palha ao vento,
   quando o anjo do Senhor os expulsar;
⁶seja a vereda deles sombria e escorregadia,
   quando o anjo do Senhor os perseguir.
⁷Já que, sem motivo, prepararam contra mim
   uma armadilha oculta
e, sem motivo, abriram uma cova para mim,
⁸que a ruína lhes sobrevenha de surpresa:
   sejam presos pela armadilha que prepararam,
caiam na cova que abriram,
   para a sua própria ruína.
⁹Então a minha alma exultará no Senhor
e se regozijará na sua salvação.
¹⁰Todo o meu ser exclamará:
   Quem se compara a ti, Senhor?

---
[a] **34:21** Ou *Os ímpios serão mortos nas suas próprias maldades*;
[b] **35:3** Ou *e bloqueia o caminho*

Tu livras os necessitados daqueles que são mais poderosos
>   do que eles,
livras os necessitados e os pobres
>   daqueles que os exploram.

¹¹Testemunhas maldosas enfrentam-me
e questionam-me sobre coisas de que nada sei.
¹²Elas me retribuem o bem com o mal
e procuram tirar-me a vida[a].
¹³Contudo, quando estavam doentes,
usei vestes de lamento,
humilhei-me com jejum
e recolhi-me em oração[b].
¹⁴Saí vagueando e pranteando,
>   como por um amigo ou por um irmão.
Eu me prostrei enlutado,
>   como quem lamenta por sua mãe.
¹⁵Mas, quando tropecei,
>   eles se reuniram alegres;
sem que eu o soubesse,
>   ajuntaram-se para me atacar.
Eles me agrediram sem cessar.
¹⁶Como ímpios caçoando do meu refúgio,
>   rosnaram contra mim.
¹⁷Senhor, até quando ficarás olhando?
Livra-me dos ataques deles,
livra a minha vida preciosa desses leões.
¹⁸Eu te darei graças na grande assembleia;
no meio da grande multidão te louvarei.

¹⁹Não deixes que os meus inimigos traiçoeiros
>   se divirtam à minha custa;
não permitas que aqueles
>   que sem razão me odeiam
>   troquem olhares de desprezo.
²⁰Não falam pacificamente,
>   mas planejam acusações falsas
>   contra os que vivem tranquilamente na terra.

---
[a] **35:12** Ou *e estou abandonado*
[b] **35:13** Ou *orei por eles sem cessar*; ou ainda *Ah! Se eu pudesse cancelar minhas orações*

²¹Com a boca escancarada,
   riem de mim e me acusam:
"Nós vimos! Sabemos de tudo!"

²²Tu viste isso, Senhor! Não fiques calado.
Não te afastes de mim, Senhor,
²³Acorda! Desperta! Faze-me justiça!
Defende a minha causa, meu Deus e Senhor.
²⁴Senhor, meu Deus, tu és justo;
faze-me justiça para que eles
   não se alegrem à minha custa.
²⁵Não deixes que pensem:
   "Ah! Era isso que queríamos!",
nem que digam: "Acabamos com ele!"

²⁶Sejam humilhados e frustrados
   todos os que se divertem
   à custa do meu sofrimento;
cubram-se de vergonha e desonra
   todos os que se acham superiores a mim.
²⁷Cantem de alegria e regozijo
   todos os que desejam ver provada
   a minha inocência,
e sempre repitam:
"O Senhor seja engrandecido!
Ele tem prazer no bem-estar do seu servo".
²⁸Minha língua proclamará a tua justiça
   e o teu louvor o dia inteiro.

Salmo 36

Para o mestre de música. De Davi, servo do Senhor.

¹Há no meu íntimo um oráculo
   a respeito da maldade do ímpio:
Aos seus olhos é inútil temer a Deus.
²Ele se acha tão importante,
   que não percebe nem rejeita o seu pecado.
³As palavras da sua boca
   são maldosas e traiçoeiras;
abandonou o bom senso e não quer fazer o bem.

⁴Até na sua cama planeja maldade;
nada há de bom no caminho a que se entregou,
e ele nunca rejeita o mal.

⁵O teu amor, Senhor, chega até os céus;
a tua fidelidade até as nuvens.
⁶A tua justiça é firme como as altas montanhas;
 as tuas decisões insondáveis como o grande mar.
Tu, Senhor, preservas
 tanto os homens quanto os animais.
⁷Como é precioso o teu amor, ó Deus!
Os homens encontram
 refúgio à sombra das tuas asas.
⁸Eles se banqueteiam na fartura da tua casa;
tu lhes dás de beber do teu rio de delícias.
⁹Pois em ti está a fonte da vida;
graças à tua luz, vemos a luz.

¹⁰Estende o teu amor aos que te conhecem,
a tua justiça aos que são retos de coração.
¹¹Não permitas que o arrogante me pisoteie,
nem que a mão do ímpio me faça recuar.
¹²Lá estão os malfeitores caídos,
lançados ao chão, incapazes de levantar-se!

Salmo 37[a]

Davídico.

¹Não se aborreça por causa dos homens maus
e não tenha inveja dos perversos;
²pois como o capim logo secarão,
como a relva verde logo murcharão.

³Confie no Senhor e faça o bem;
assim você habitará na terra
 e desfrutará segurança.
⁴Deleite-se no Senhor,
e ele atenderá aos desejos do seu coração.

⁵Entregue o seu caminho ao Senhor;
confie nele, e ele agirá:

---

[a] O Salmo 37 é um poema organizado em ordem alfabética, no hebraico.

⁶ele deixará claro como a alvorada
   que você é justo,
e como o sol do meio-dia que você é inocente.

⁷Descanse no Senhor
   e aguarde por ele com paciência;
não se aborreça com o sucesso dos outros,
   nem com aqueles que maquinam o mal.

⁸Evite a ira e rejeite a fúria;
não se irrite: isso só leva ao mal.
⁹Pois os maus serão eliminados,
mas os que esperam no Senhor
   receberão a terra por herança.

¹⁰Um pouco de tempo,
   e os ímpios não mais existirão;
por mais que você os procure, não serão encontrados.
¹¹Mas os humildes receberão a terra por herança
e desfrutarão pleno bem-estar.

¹²Os ímpios tramam contra os justos
e rosnam contra eles;
¹³o Senhor, porém, ri dos ímpios,
pois sabe que o dia deles está chegando.

¹⁴Os ímpios desembainham a espada
   e preparam o arco
para abaterem o necessitado e o pobre,
para matarem os que andam na retidão.
¹⁵Mas as suas espadas
   irão atravessar-lhes o coração,
e os seus arcos serão quebrados.

¹⁶Melhor é o pouco do justo
do que a riqueza de muitos ímpios;
¹⁷pois o braço forte dos ímpios será quebrado,
mas o Senhor sustém os justos.

¹⁸O Senhor cuida da vida dos íntegros,
e a herança deles permanecerá para sempre.
¹⁹Em tempos de adversidade
   não ficarão decepcionados;
em dias de fome desfrutarão fartura.

²⁰Mas os ímpios perecerão;
os inimigos do Senhor
   murcharão como a beleza dos campos;
desvanecerão como fumaça.

²¹Os ímpios tomam emprestado e não devolvem,
mas os justos dão com generosidade;
²²aqueles que o Senhor abençoa
   receberão a terra por herança,
mas os que ele amaldiçoa serão eliminados.

²³O Senhor firma os passos de um homem,
   quando a conduta deste o agrada;
²⁴ainda que tropece, não cairá,
   pois o Senhor o toma pela mão.

²⁵Já fui jovem e agora sou velho,
mas nunca vi o justo desamparado,
nem seus filhos mendigando o pão.
²⁶Ele é sempre generoso
   e empresta com boa vontade;
seus filhos serão abençoados.

²⁷Desvie-se do mal e faça o bem;
e você terá sempre onde morar.
²⁸Pois o Senhor ama quem pratica a justiça,
e não abandonará os seus fiéis.

Para sempre serão protegidos,
mas a descendência dos ímpios será eliminada;
²⁹os justos herdarão a terra
e nela habitarão para sempre.

³⁰A boca do justo profere sabedoria,
e a sua língua fala conforme a justiça.
³¹Ele traz no coração a lei do seu Deus;
nunca pisará em falso.

³²O ímpio fica à espreita do justo,
   querendo matá-lo;
³³mas o Senhor não o deixará cair
   em suas mãos,
nem permitirá que o condenem quando julgado.

³⁴Espere no Senhor
   e siga a sua vontade.
Ele o exaltará, dando-lhe a terra por herança;
quando os ímpios forem eliminados,
   você o verá.

³⁵Vi um homem ímpio e cruel
   florescendo como frondosa árvore nativa,
³⁶mas logo desapareceu e não mais existia;
embora eu o procurasse,
   não pôde ser encontrado.

³⁷Considere o íntegro, observe o justo;
há futuro[a] para o homem de paz.
³⁸Mas todos os rebeldes serão destruídos;
futuro para os ímpios nunca haverá.

³⁹Do Senhor vem a salvação dos justos;
ele é a sua fortaleza na hora da adversidade.
⁴⁰O Senhor os ajuda e os livra;
ele os livra dos ímpios e os salva,
   porque nele se refugiam.

Salmo 38

Salmo davídico. Uma petição.

¹Senhor, não me repreendas no teu furor
nem me disciplines na tua ira.
²Pois as tuas flechas me atravessaram,
e a tua mão me atingiu.
³Por causa de tua ira,
   todo o meu corpo está doente;
não há saúde nos meus ossos
   por causa do meu pecado.
⁴As minhas culpas me afogam;
são como um fardo pesado e insuportável.

⁵Minhas feridas cheiram mal e supuram
   por causa da minha insensatez.

---

[a] **37:37** Ou *haverá posteridade*; também no versículo 38.

⁶Estou encurvado e muitíssimo abatido;
o dia todo saio vagueando e pranteando.
⁷Estou ardendo em febre;
todo o meu corpo está doente.
⁸Sinto-me muito fraco e totalmente esmagado;
meu coração geme de angústia.

⁹Senhor, diante de ti
   estão todos os meus anseios;
o meu suspiro não te é oculto.
¹⁰Meu coração palpita, as forças me faltam;
até a luz dos meus olhos se foi.
¹¹Meus amigos e companheiros me evitam
   por causa da doença que me aflige;
ficam longe de mim os meus vizinhos.
¹²Os que desejam matar-me
   preparam armadilhas,
os que me querem prejudicar
   anunciam a minha ruína;
passam o dia planejando traição.

¹³Como um surdo, não ouço,
como um mudo, não abro a boca.
¹⁴Fiz-me como quem não ouve,
e em cuja boca não há resposta.
¹⁵Senhor, em ti espero;
tu me responderás, ó Senhor meu Deus!
¹⁶Pois eu disse: Não permitas
   que eles se divirtam à minha custa,
nem triunfem sobre mim quando eu tropeçar.

¹⁷Estou a ponto de cair,
e a minha dor está sempre comigo.
¹⁸Confesso a minha culpa;
em angústia estou por causa do meu pecado.
¹⁹Meus inimigos, porém,
   são muitos e poderosos;
é grande o número
   dos que me odeiam sem motivo.
²⁰Os que me retribuem o bem com o mal
caluniam-me porque é o bem que procuro.

²¹SENHOR, não me abandones!
  Não fiques longe de mim, ó meu Deus!
²²Apressa-te a ajudar-me,
  Senhor, meu Salvador!

Salmo 39

Para o mestre de música. Ao estilo de Jedutum. Salmo davídico.

¹Eu disse: Vigiarei a minha conduta
  e não pecarei em palavras;
porei mordaça em minha boca
enquanto os ímpios
  estiverem na minha presença.
²Enquanto me calei resignado,
e me contive inutilmente,
minha angústia aumentou.
³Meu coração ardia-me no peito
e, enquanto eu meditava, o fogo aumentava;
então comecei a dizer:
⁴Mostra-me, SENHOR, o fim da minha vida
e o número dos meus dias,
para que eu saiba quão frágil sou.
⁵Deste aos meus dias
  o comprimento de um palmo;
a duração da minha vida é nada diante de ti.
  De fato, o homem não passa de um sopro.

Pausa

⁶Sim, cada um vai e volta como a sombra.
Em vão se agita, amontoando riqueza
  sem saber quem ficará com ela.

⁷Mas agora, Senhor, que hei de esperar?
Minha esperança está em ti.
⁸Livra-me de todas as minhas transgressões;
não faças de mim
  um objeto de zombaria dos tolos.
⁹Estou calado! Não posso abrir a boca,
pois tu mesmo fizeste isso.
¹⁰Afasta de mim o teu açoite;
fui vencido pelo golpe da tua mão.

¹¹Tu repreendes e disciplinas o homem
  por causa do seu pecado;
como traça destróis o que ele mais valoriza;
de fato, o homem não passa de um sopro.

Pausa

¹²Ouve a minha oração, SENHOR;
escuta o meu grito de socorro;
não sejas indiferente ao meu lamento.
Pois sou para ti um estrangeiro,
como foram todos os meus antepassados.
¹³Desvia de mim os teus olhos,
para que eu volte a ter alegria,
antes que eu me vá e deixe de existir.

Salmo 40

Para o mestre de música. Davídico. Um salmo.

¹Coloquei toda minha esperança no SENHOR;
ele se inclinou para mim
e ouviu o meu grito de socorro.
²Ele me tirou de um poço de destruição,
  de um atoleiro de lama;
pôs os meus pés sobre uma rocha
  e firmou-me num local seguro.
³Pôs um novo cântico na minha boca,
  um hino de louvor ao nosso Deus.
Muitos verão isso e temerão,
  e confiarão no SENHOR.

⁴Como é feliz o homem
  que põe no SENHOR a sua confiança,
e não vai atrás dos orgulhosos[a],
  dos que se afastam para seguir deuses falsos[b]!
⁵SENHOR meu Deus!
  Quantas maravilhas tens feito!
Não se pode relatar
  os planos que preparaste para nós!

---

[a] **40:4** Ou *idólatras*
[b] **40:4** Ou *para a falsidade*

Eu queria proclamá-los e anunciá-los,
  mas são por demais numerosos!

⁶Sacrifício e oferta não pediste,
  mas abriste os meus ouvidos[a];
holocaustos[b] e ofertas pelo pecado
  não exigiste.
⁷Então eu disse: Aqui estou!
  No livro está escrito a meu respeito.
⁸Tenho grande alegria em fazer a tua vontade,
  ó meu Deus;
a tua lei está no fundo do meu coração.

⁹Eu proclamo as novas de justiça
  na grande assembleia;
como sabes, Senhor, não fecho os meus lábios.
¹⁰Não oculto no coração a tua justiça;
  falo da tua fidelidade e da tua salvação.
Não escondo da grande assembleia
  a tua fidelidade e a tua verdade.

¹¹Não me negues a tua misericórdia, Senhor;
que o teu amor e a tua verdade
  sempre me protejam.
¹²Pois incontáveis problemas me cercam,
as minhas culpas me alcançaram
  e já não consigo ver.
Mais numerosos são
  que os cabelos da minha cabeça,
e o meu coração perdeu o ânimo.

¹³Agrada-te, Senhor, em libertar-me;
  apressa-te, Senhor, a ajudar-me.
¹⁴Sejam humilhados e frustrados
  todos os que procuram tirar-me a vida;
retrocedam desprezados
  os que desejam a minha ruína.
¹⁵Fiquem chocados com a sua própria desgraça
  os que zombam de mim.

---

[a] **40:6** Ou *furaste as minhas orelhas*. A Septuaginta diz *mas tens preparado um corpo para mim*.
[b] **40:6** Isto é, sacrifícios totalmente queimados.

¹⁶Mas regozijem-se e alegrem-se em ti
   todos os que te buscam;
digam sempre aqueles que amam a tua salvação:
   "Grande é o Senhor!"

¹⁷Quanto a mim, sou pobre e necessitado,
mas o Senhor preocupa-se comigo.
Tu és o meu socorro e o meu libertador;
   meu Deus, não te demores!

Salmo 41

Para o mestre de música. Salmo davídico.

¹Como é feliz aquele
   que se interessa pelo pobre!
O Senhor o livra em tempos de adversidade.
²O Senhor o protegerá e preservará a sua vida;
ele o fará feliz na terra
e não o entregará ao desejo dos seus inimigos.
³O Senhor o susterá
   em seu leito de enfermidade,
e da doença o restaurará.

⁴Eu disse: Misericórdia, Senhor,
cura-me, pois pequei contra ti.
⁵Os meus inimigos
   dizem maldosamente a meu respeito:
"Quando ele vai morrer?
   Quando vai desaparecer o seu nome?"
⁶Sempre que alguém vem visitar-me,
   fala com falsidade,
   enche o coração de calúnias
   e depois as espalha por onde vai.
⁷Todos os que me odeiam
   juntam-se e cochicham contra mim,
imaginando que o pior me acontecerá:
⁸"Uma praga terrível o derrubou;
está de cama, e jamais se levantará".
⁹Até o meu melhor amigo,
em quem eu confiava

e que partilhava do meu pão,
  voltou-se[a] contra mim.

¹⁰Mas, tu, Senhor, tem misericórdia de mim;
  levanta-me, para que eu lhes retribua.
¹¹Sei que me queres bem,
  pois o meu inimigo não triunfa sobre mim.
¹²Por causa da minha integridade me susténs
  e me pões na tua presença para sempre.

¹³Louvado seja o Senhor, o Deus de Israel,
de eternidade a eternidade!
  Amém e amém!

SEGUNDO LIVRO

Salmo 42[b]

Para o mestre de música. Um poema dos coraítas.

¹Como a corça anseia por águas correntes,
a minha alma anseia por ti, ó Deus.
²A minha alma tem sede de Deus, do Deus vivo.
Quando poderei entrar
  para apresentar-me a Deus?
³Minhas lágrimas têm sido o meu alimento
  de dia e de noite,
pois me perguntam o tempo todo:
  "Onde está o seu Deus?"
⁴Quando me lembro destas coisas
  choro angustiado.
Pois eu costumava ir com a multidão,
  conduzindo a procissão à casa de Deus,
com cantos de alegria e de ação de graças
  entre a multidão que festejava.

⁵Por que você está assim tão triste,
  ó minha alma?

---

[a] **41:9** Hebraico: *levantou o calcanhar*.
[b] Os Salmos 42 e 43 constituem um único poema em muitos manuscritos do Texto Massorético.

Por que está assim tão perturbada
   dentro de mim?
Ponha a sua esperança em Deus!
   Pois ainda o louvarei;
ele é o meu Salvador e ⁶o meu Deus[a].
A minha alma está profundamente triste;
por isso de ti me lembro
   desde a terra do Jordão,
das alturas do Hermom,
   desde o monte Mizar.
⁷Abismo chama abismo
   ao rugir das tuas cachoeiras;
todas as tuas ondas e vagalhões
   se abateram sobre mim.

⁸Conceda-me o SENHOR o seu fiel amor de dia;
   de noite esteja comigo a sua canção.
É a minha oração ao Deus que me dá vida.

⁹Direi a Deus, minha Rocha:
   Por que te esqueceste de mim?
Por que devo sair vagueando e pranteando,
   oprimido pelo inimigo?
¹⁰Até os meus ossos sofrem agonia mortal
   quando os meus adversários zombam de mim,
   perguntando-me o tempo todo:
   "Onde está o seu Deus?"

¹¹Por que você está assim tão triste,
   ó minha alma?
Por que está assim tão perturbada
   dentro de mim?
Ponha a sua esperança em Deus!
   Pois ainda o louvarei;
ele é o meu Salvador e o meu Deus.

---

[a] **42:5-6** Conforme alguns manuscritos do Texto Massorético, a Septuaginta e a Versão Siríaca. A maioria dos manuscritos do Texto Massorético diz *louvarei por teu auxílio salvador.* ⁶*Ó meu Deus.*

Salmo 43

¹Faze-me justiça, ó Deus,
  e defende a minha causa contra um povo infiel;
livra-me dos homens traidores e perversos.
²Pois tu, ó Deus, és a minha fortaleza.
Por que me rejeitaste?
Por que devo sair vagueando e pranteando,
  oprimido pelo inimigo?
³Envia a tua luz e a tua verdade;
elas me guiarão
  e me levarão ao teu santo monte,
ao lugar onde habitas.
⁴Então irei ao altar de Deus,
  a Deus, a fonte da minha plena alegria.
Com a harpa te louvarei,
  ó Deus, meu Deus!

⁵Por que você está assim tão triste,
  ó minha alma?
Por que está assim tão perturbada
  dentro de mim?
Ponha a sua esperança em Deus!
  Pois ainda o louvarei;
ele é o meu Salvador e o meu Deus.

Salmo 44

Para o mestre de música. Dos coraítas. Um poema.

¹Com os nossos próprios ouvidos ouvimos,
  ó Deus;
os nossos antepassados nos contaram
  os feitos que realizaste no tempo deles,
  nos dias da antiguidade.
²Com a tua própria mão expulsaste as nações
  para estabelecer os nossos antepassados;
arruinaste povos e fizeste prosperar
  os nossos antepassados.
³Não foi pela espada que conquistaram a terra,
nem pela força do seu braço
  que alcançaram a vitória;

foi pela tua mão direita, pelo teu braço,
   e pela luz do teu rosto[a],
por causa do teu amor para com eles.

⁴És tu, meu Rei e meu Deus![b]
És tu que decretas vitórias para Jacó!
⁵Contigo pomos em fuga os nossos adversários;
pelo teu nome pisoteamos os que nos atacam.
⁶Não confio em meu arco,
minha espada não me concede a vitória;
⁷mas tu nos concedes a vitória
   sobre os nossos adversários
e humilhas os que nos odeiam.
⁸Em Deus nos gloriamos o tempo todo,
e louvaremos o teu nome para sempre.

Pausa

⁹Mas agora nos rejeitaste e nos humilhaste;
já não sais com os nossos exércitos.
¹⁰Diante dos nossos adversários
   fizeste-nos bater em retirada,
e os que nos odeiam nos saquearam.
¹¹Tu nos entregaste
   para sermos devorados como ovelhas
e nos dispersaste entre as nações.
¹²Vendeste o teu povo por uma ninharia,
   nada lucrando com a sua venda.
¹³Tu nos fizeste
   motivo de vergonha dos nossos vizinhos,
objeto de zombaria e menosprezo dos que nos rodeiam.
¹⁴Fizeste de nós um provérbio entre as nações;
os povos meneiam a cabeça quando nos veem.
¹⁵Sofro humilhação o tempo todo,
e o meu rosto está coberto de vergonha
¹⁶por causa da zombaria
   dos que me censuram e me provocam,
por causa do inimigo, que busca vingança.

---
[a] **44:3** Isto é, pela tua bondade.
[b] **44:4** Conforme a Septuaginta e a Versão Siríaca. O Texto Massorético diz *meu Rei, ó Deus!*

¹⁷Tudo isso aconteceu conosco,
  sem que nos tivéssemos esquecido de ti,
  nem tivéssemos traído a tua aliança.
¹⁸Nossos corações não voltaram atrás,
nem os nossos pés se desviaram da tua vereda.
¹⁹Todavia, tu nos esmagaste e fizeste de nós
  um covil de chacais,
e de densas trevas nos cobriste.

²⁰Se tivéssemos esquecido
  o nome do nosso Deus
e tivéssemos estendido as nossas mãos
  a um deus estrangeiro,
²¹Deus não o teria descoberto?
Pois ele conhece os segredos do coração!
²²Contudo, por amor de ti
  enfrentamos a morte todos os dias;
somos considerados como ovelhas
  destinadas ao matadouro.

²³Desperta, Senhor! Por que dormes?
Levanta-te! Não nos rejeites para sempre.
²⁴Por que escondes o teu rosto
  e esqueces o nosso sofrimento
  e a nossa aflição?

²⁵Fomos humilhados até o pó;
nossos corpos se apegam ao chão.
²⁶Levanta-te! Socorre-nos!
Resgata-nos por causa da tua fidelidade.

Salmo 45

Para o mestre de música. De acordo com a melodia Os Lírios*.*
Dos coraítas. Poema. Cântico de casamento.

¹Com o coração vibrando de boas palavras
  recito os meus versos em honra ao rei;
seja a minha língua
  como a pena de um hábil escritor.

²És dos homens o mais notável;
derramou-se graça em teus lábios,

visto que Deus te abençoou para sempre.
³Prende a espada à cintura, ó poderoso!
Cobre-te de esplendor e majestade.
⁴Na tua majestade cavalga vitoriosamente
  pela verdade, pela misericórdia e pela justiça;
que a tua mão direita realize feitos gloriosos.
⁵Tuas flechas afiadas atingem
  o coração dos inimigos do rei;
debaixo dos teus pés caem nações.
⁶O teu trono, ó Deus,
  subsiste para todo o sempre;
cetro de justiça é o cetro do teu reino.
⁷Amas a justiça e odeias a iniquidade;
por isso Deus, o teu Deus,
  escolheu-te dentre os teus companheiros
  ungindo-te com óleo de alegria.
⁸Todas as tuas vestes exalam
  aroma de mirra, aloés e cássia;
nos palácios adornados de marfim ressoam
  os instrumentos de corda que te alegram.
⁹Filhas de reis
  estão entre as mulheres da tua corte;
à tua direita está a noiva real
  enfeitada de ouro puro de Ofir.

¹⁰Ouça, ó filha, considere
  e incline os seus ouvidos:
Esqueça o seu povo e a casa paterna.
¹¹O rei foi cativado pela sua beleza;
honre-o, pois ele é o seu senhor.
¹²A cidade[a] de Tiro trará[b] seus presentes;
seus moradores mais ricos buscarão o seu favor.

¹³Cheia de esplendor está a princesa
  em seus aposentos,
com vestes enfeitadas de ouro.
¹⁴Em roupas bordadas é conduzida ao rei,
  acompanhada de um cortejo de virgens;

---
[a] **45:12** Hebraico: *filha*.
[b] **45:12** Ou *Um manto feito em Tiro está entre*

são levadas à tua presença.
¹⁵Com alegria e exultação
   são conduzidas ao palácio do rei.

¹⁶Os teus filhos ocuparão o trono dos teus pais;
por toda a terra os farás príncipes.
¹⁷Perpetuarei a tua lembrança
   por todas as gerações;
por isso as nações te louvarão
   para todo o sempre.

Salmo 46

Para o mestre de música. Dos coraítas.
Para vozes agudas. Um cântico.

¹Deus é o nosso refúgio e a nossa fortaleza,
auxílio sempre presente na adversidade.
²Por isso não temeremos,
ainda que a terra trema
   e os montes afundem no coração do mar,
³ainda que estrondem as suas águas turbulentas
e os montes sejam sacudidos
   pela sua fúria.

Pausa

⁴Há um rio cujos canais alegram
   a cidade de Deus,
o Santo Lugar onde habita o Altíssimo.
⁵Deus nela está! Não será abalada!
Deus vem em seu auxílio
   desde o romper da manhã.
⁶Nações se agitam, reinos se abalam;
ele ergue a voz, e a terra se derrete.

⁷O Senhor dos Exércitos está conosco;
o Deus de Jacó é a nossa torre segura.

Pausa

⁸Venham! Vejam as obras do Senhor,
seus feitos estarrecedores na terra.
⁹Ele dá fim às guerras até os confins da terra;

quebra o arco e despedaça a lança;
  destrói os escudos[a] com fogo.
¹⁰"Parem de lutar! Saibam que eu sou Deus!
Serei exaltado entre as nações,
  serei exaltado na terra."

¹¹O Senhor dos Exércitos está conosco;
  o Deus de Jacó é a nossa torre segura.

Pausa

Salmo 47

Para o mestre de música. Salmo dos coraítas.

¹Batam palmas, vocês, todos os povos;
aclamem a Deus com cantos de alegria.
²Pois o Senhor Altíssimo é temível,
é o grande Rei sobre toda a terra!
³Ele subjugou as nações ao nosso poder,
os povos colocou debaixo de nossos pés,
⁴e escolheu para nós a nossa herança,
o orgulho de Jacó, a quem amou.

Pausa

⁵Deus subiu em meio a gritos de alegria;
o Senhor, em meio ao som de trombetas.
⁶Ofereçam música a Deus, cantem louvores!
Ofereçam música ao nosso Rei,
  cantem louvores!
⁷Pois Deus é o rei de toda a terra;
cantem louvores com harmonia e arte.

⁸Deus reina sobre as nações;
Deus está assentado em seu santo trono.
⁹Os soberanos das nações se juntam
  ao povo do Deus de Abraão,
pois os governantes[b] da terra pertencem a Deus;
  ele é soberanamente exaltado.

---
[a] **46:9** Ou *carros*
[b] **47:9** Hebraico: *escudos*.

Salmo 48

Um cântico. Salmo dos coraítas.

¹Grande é o Senhor,
  e digno de todo louvor
na cidade do nosso Deus.
²Seu santo monte, belo e majestoso,
  é a alegria de toda a terra.
Como as alturas do Zafom[a] é o monte Sião,
a cidade do grande Rei.
³Nas suas cidadelas
  Deus se revela como sua proteção.

⁴Vejam! Os reis somaram forças,
e juntos avançaram contra ela.
⁵Quando a viram, ficaram atônitos,
fugiram aterrorizados.
⁶Ali mesmo o pavor os dominou;
contorceram-se como a mulher no parto.
⁷Foste como o vento oriental
  quando destruiu os navios de Társis.

⁸Como já temos ouvido,
  agora também temos visto
na cidade do Senhor dos Exércitos,
  na cidade de nosso Deus:
Deus a preserva firme para sempre.

Pausa

⁹No teu templo, ó Deus,
  meditamos em teu amor leal.
¹⁰Como o teu nome, ó Deus,
  o teu louvor alcança os confins da terra;
a tua mão direita está cheia de justiça.
¹¹O monte Sião se alegra,
as cidades[b] de Judá exultam
por causa das tuas decisões justas.

¹²Percorram Sião, contornando-a,
contem as suas torres,

---
[a] **48:2** *Zafom* refere-se ou a um monte sagrado ou à direção norte.
[b] **48:11** Hebraico: *filhas*.

¹³observem bem as suas muralhas,
examinem as suas cidadelas,
para que vocês falem à próxima geração
¹⁴que este Deus é o nosso Deus
   para todo o sempre;
ele será o nosso guia até o fim[a].

Salmo 49

Para o mestre de música. Salmo dos coraítas.

¹Ouçam isto vocês, todos os povos;
escutem, todos os que vivem neste mundo,
²gente do povo, homens importantes,
ricos e pobres igualmente:
³A minha boca falará com sabedoria;
a meditação do meu coração
   trará entendimento.
⁴Inclinarei os meus ouvidos a um provérbio;
com a harpa exporei o meu enigma:

⁵Por que deverei temer,
   quando vierem dias maus,
quando inimigos traiçoeiros me cercarem,
⁶aqueles que confiam em seus bens
e se gabam de suas muitas riquezas?
⁷Homem algum pode redimir seu irmão
ou pagar a Deus o preço de sua vida,
⁸pois o resgate de uma vida não tem preço.
Não há pagamento que o livre
⁹para que viva para sempre
e não sofra decomposição.
¹⁰Pois todos podem ver que os sábios morrem,
como perecem o tolo e o insensato
e para outros deixam os seus bens.
¹¹Seus túmulos serão suas moradas
   para sempre,[b]

---
[a] 48:14 Ou *até à morte*
[b] 49:11 Conforme a Septuaginta e a Versão Siríaca. O Texto Massorético diz *Em seus pensamentos suas casas serão perpétuas.*

suas habitações de geração em geração,
ainda que tenham[a] dado seus nomes a terras.

¹²O homem, mesmo que muito importante,
   não vive para sempre[b];
é como os animais, que perecem.

¹³Este é o destino
   dos que confiam em si mesmos,
e dos seus seguidores,
   que aprovam o que eles dizem.

Pausa

¹⁴Como ovelhas,
   estão destinados à sepultura[c],
e a morte lhes servirá de pastor.
Pela manhã os justos triunfarão sobre eles!
A aparência deles se desfará na sepultura,
longe das suas gloriosas mansões.
¹⁵Mas Deus redimirá a minha vida da sepultura
   e me levará para si.

Pausa

¹⁶Não se aborreça quando alguém se enriquece
e aumenta o luxo de sua casa;
¹⁷pois nada levará consigo quando morrer;
não descerá com ele o seu esplendor.
¹⁸Embora em vida ele se parabenize:
"Todos o elogiam, pois você está prosperando",
¹⁹ele se juntará aos seus antepassados,
   que nunca mais verão a luz.

²⁰O homem, mesmo que muito importante,
   não tem entendimento;
é como os animais, que perecem.

---

[a] **49:11** Ou *pois eles têm*
[b] **49:12** Conforme o Texto Massorético. A Septuaginta e a Versão Siríaca dizem *não tem entendimento*. Veja o versículo 20.
[c] **49:14** Hebraico: *Sheol*. Essa palavra também pode ser traduzida por profundezas, pó ou morte; também no final deste versículo e no versículo 15.

Salmo 50

Salmo da família de Asafe.

¹Fala o Senhor, o Deus supremo;
convoca toda a terra, do nascente ao poente.
²Desde Sião, perfeita em beleza,
   Deus resplandece.
³Nosso Deus vem!
   Certamente não ficará calado!
À sua frente vai um fogo devorador,
e, ao seu redor, uma violenta tempestade.
⁴Ele convoca os altos céus e a terra,
   para o julgamento do seu povo:
⁵"Ajuntem os que me são fiéis,
que, mediante sacrifício,
   fizeram aliança comigo".
⁶E os céus proclamam a sua justiça,
   pois o próprio Deus é o juiz.

Pausa

⁷"Ouça, meu povo, pois eu falarei;
vou testemunhar contra você, Israel,
   eu, que sou Deus, o seu Deus.
⁸Não o acuso pelos seus sacrifícios,
nem pelos holocaustos[a],
   que você sempre me oferece.
⁹Não tenho necessidade
   de nenhum novilho dos seus estábulos,
nem dos bodes dos seus currais,
¹⁰pois todos os animais da floresta são meus,
como são as cabeças de gado
   aos milhares nas colinas.
¹¹Conheço todas as aves dos montes,
e cuido das criaturas do campo.
¹²Se eu tivesse fome, precisaria dizer a você?
Pois o mundo é meu, e tudo o que nele existe.
¹³Acaso como carne de touros
ou bebo sangue de bodes?

---

[a] **50:8** Isto é, sacrifícios totalmente queimados; também em 51:16.

¹⁴Ofereça a Deus em sacrifício a sua gratidão,
cumpra os seus votos para com o Altíssimo,
¹⁵e clame a mim no dia da angústia;
eu o livrarei, e você me honrará."

¹⁶Mas ao ímpio Deus diz:

"Que direito você tem de recitar as minhas leis
ou de ficar repetindo a minha aliança?
¹⁷Pois você odeia a minha disciplina
e dá as costas às minhas palavras!
¹⁸Você vê um ladrão, e já se torna seu cúmplice,
e com adúlteros se mistura.
¹⁹Sua boca está cheia de maldade
e a sua língua formula a fraude.
²⁰Deliberadamente você fala contra o seu irmão
e calunia o filho de sua própria mãe.
²¹Ficaria eu calado
    diante de tudo o que você tem feito?
Você pensa que eu sou como você?
Mas agora eu o acusarei diretamente,
    sem omitir coisa alguma.

²²"Considerem isto,
    vocês que se esquecem de Deus;
caso contrário os despedaçarei,
    sem que ninguém os livre.
²³Quem me oferece sua gratidão
    como sacrifício, honra-me,
e eu mostrarei a salvação de Deus
    ao que anda nos meus caminhos".

Salmo 51

Para o mestre de música. Salmo de Davi.
Escrito quando o profeta Natã veio falar com Davi,
depois que este cometeu adultério com Bate-Seba.

¹Tem misericórdia de mim, ó Deus,
    por teu amor;
por tua grande compaixão
    apaga as minhas transgressões.

²Lava-me de toda a minha culpa
   e purifica-me do meu pecado.

³Pois eu mesmo
   reconheço as minhas transgressões,
e o meu pecado sempre me persegue.
⁴Contra ti, só contra ti, pequei
   e fiz o que tu reprovas,
de modo que justa é a tua sentença
   e tens razão em condenar-me.
⁵Sei que sou pecador desde que nasci,
sim, desde que me concebeu minha mãe.
⁶Sei que desejas a verdade no íntimo;
e no coração me ensinas a sabedoria.

⁷Purifica-me com hissopo, e ficarei puro;
lava-me, e mais branco do que a neve serei.
⁸Faze-me ouvir de novo júbilo e alegria,
e os ossos que esmagaste exultarão.
⁹Esconde o rosto dos meus pecados
e apaga todas as minhas iniquidades.

¹⁰Cria em mim um coração puro, ó Deus,
e renova dentro de mim um espírito estável.
¹¹Não me expulses da tua presença,
nem tires de mim o teu Santo Espírito.
¹²Devolve-me a alegria da tua salvação
e sustenta-me
   com um espírito pronto a obedecer.
¹³Então ensinarei os teus caminhos
   aos transgressores,
para que os pecadores se voltem para ti.

¹⁴Livra-me da culpa dos crimes de sangue,
   ó Deus, Deus da minha salvação!
E a minha língua aclamará a tua justiça.
¹⁵Ó Senhor, dá palavras aos meus lábios,
e a minha boca anunciará o teu louvor.
¹⁶Não te deleitas em sacrifícios
nem te agradas em holocaustos,
   senão eu os traria.

¹⁷Os sacrifícios que agradam a Deus
  são um espírito quebrantado;
um coração quebrantado e contrito,
  ó Deus, não desprezarás.

¹⁸Por tua boa vontade faze Sião prosperar;
ergue os muros de Jerusalém.
¹⁹Então te agradarás dos sacrifícios sinceros,
  das ofertas queimadas e dos holocaustos;
e novilhos serão oferecidos sobre o teu altar.

Salmo 52

Para o mestre de música. Poema de Davi, quando o edomita Doegue foi a Saul e lhe contou: "Davi foi à casa de Aimeleque".

¹Por que você se vangloria do mal
e de ultrajar a Deus continuamente?[a],
  ó homem poderoso!
²Sua língua trama destruição;
é como navalha afiada, cheia de engano.
³Você prefere o mal ao bem,
a falsidade, em lugar da verdade.

Pausa

⁴Você ama toda palavra maldosa,
  ó língua mentirosa!
⁵Saiba que Deus o arruinará para sempre:
ele o agarrará e o arrancará da sua tenda;
ele o desarraigará da terra dos vivos.

Pausa

⁶Os justos verão isso e temerão;
rirão dele, dizendo:
⁷"Veja só o homem
  que rejeitou a Deus como refúgio;
confiou em sua grande riqueza
  e buscou refúgio em sua maldade!"

⁸Mas eu sou como uma oliveira
  que floresce na casa de Deus;

---

[a] **52:1** Ou *se a fidelidade de Deus dura para sempre?*

confio no amor de Deus
    para todo o sempre.
⁹Para sempre te louvarei pelo que fizeste;
na presença dos teus fiéis
    proclamarei o teu nome,
porque tu és bom.

Salmo 53

Para o mestre de música. De acordo com mahalath[a]. *Poema davídico.*

¹Diz o tolo em seu coração:
    "Deus não existe!"
Corromperam-se
    e cometeram injustiças detestáveis;
não há ninguém que faça o bem.

²Deus olha lá dos céus
    para os filhos dos homens,
para ver se há alguém
    que tenha entendimento,
alguém que busque a Deus.
³Todos se desviaram,
    igualmente se corromperam;
não há ninguém que faça o bem,
    não há nem um sequer.

⁴Será que os malfeitores não aprendem?
Eles devoram o meu povo
    como quem come pão,
e não clamam a Deus!
⁵Olhem! Estão tomados de pavor,
    quando não existe motivo algum para temer!
Pois foi Deus quem espalhou os ossos
    dos que atacaram você;
você os humilhou porque Deus os rejeitou.

⁶Ah, se de Sião viesse a salvação para Israel!
Quando Deus restaurar[b] o seu povo,
    Jacó exultará! Israel se regozijará!

---
[a] Título: Possivelmente uma melodia solene.
[b] **53:6** Ou *trouxer de volta os cativos do seu*

Salmo 54

Para o mestre de música. Com instrumentos de cordas. Poema de Davi, quando os zifeus foram a Saul e disseram: "Acaso Davi não está se escondendo entre nós?"

¹Salva-me, ó Deus, pelo teu nome;
defende-me pelo teu poder.
²Ouve a minha oração, ó Deus;
escuta as minhas palavras.
³Estrangeiros[a] me atacam;
homens cruéis querem matar-me,
homens que não se importam com Deus.

Pausa

⁴Certamente Deus é o meu auxílio;
é o Senhor que me sustém.
⁵Recaia o mal sobre os meus inimigos!
Extermina-os por tua fidelidade!

⁶Eu te oferecerei um sacrifício voluntário;
louvarei o teu nome, ó SENHOR,
   porque tu és bom.
⁷Pois ele me livrou de todas as minhas angústias,
e os meus olhos contemplaram
   a derrota dos meus inimigos.

Salmo 55

*Para o mestre de música. Com instrumentos de cordas.
Poema davídico.*

¹Escuta a minha oração, ó Deus,
não ignores a minha súplica;
²ouve-me e responde-me!
Os meus pensamentos me perturbam,
   e estou atordoado
³diante do barulho do inimigo,
   diante da gritaria[b] dos ímpios;
pois eles aumentam o meu sofrimento
   e, irados, mostram seu rancor.

---

[a] **54:3** Alguns manuscritos do Texto Massorético dizem *Arrogantes*.
[b] **55:3** Ou *opressão*

⁴O meu coração está acelerado;
os pavores da morte me assaltam.
⁵Temor e tremor me dominam;
o medo tomou conta de mim.
⁶Então eu disse:
   Quem dera eu tivesse asas como a pomba;
   voaria até encontrar repouso!
⁷Sim, eu fugiria para bem longe,
e no deserto eu teria o meu abrigo.

Pausa

⁸Eu me apressaria em achar refúgio
   longe do vendaval e da tempestade.

⁹Destrói os ímpios, Senhor,
   confunde a língua deles,
pois vejo violência e brigas na cidade.
¹⁰Dia e noite eles rondam por seus muros;
nela permeiam o crime e a maldade.
¹¹A destruição impera na cidade;
a opressão e a fraude jamais deixam suas ruas.

¹²Se um inimigo me insultasse,
   eu poderia suportar;
se um adversário se levantasse contra mim,
   eu poderia defender-me;
¹³mas logo você, meu colega,
   meu companheiro, meu amigo chegado,
¹⁴você, com quem eu partilhava
   agradável comunhão
enquanto íamos com a multidão festiva
   para a casa de Deus!

¹⁵Que a morte
   apanhe os meus inimigos de surpresa!
Desçam eles vivos para a sepultura[a],
   pois entre eles o mal acha guarida.

¹⁶Eu, porém, clamo a Deus,
e o Senhor me salvará.

---

[a] **55:15** Hebraico: *Sheol*. Essa palavra também pode ser traduzida por profundezas, pó ou morte.

¹⁷À tarde, pela manhã e ao meio-dia
   choro angustiado,
e ele ouve a minha voz.
¹⁸Ele me guarda ileso na batalha,
sendo muitos os que estão contra mim.
¹⁹Deus, que reina desde a eternidade,
   me ouvirá e os castigará.

Pausa

Pois jamais mudam sua conduta
   e não têm temor de Deus.

²⁰Aquele homem se voltou
   contra os seus aliados,
violando o seu acordo.
²¹Macia como manteiga é a sua fala,
   mas a guerra está no seu coração;
suas palavras são mais suaves que o óleo,
   mas são afiadas como punhais.

²²Entregue suas preocupações ao Senhor,
   e ele o susterá;
jamais permitirá que o justo venha a cair.

²³Mas tu, ó Deus,
   farás descer à cova da destruição
   aqueles assassinos e traidores,
   os quais não viverão a metade dos seus dias.
Quanto a mim, porém, confio em ti.

Salmo 56

Para o mestre de música. De acordo com a melodia Uma Pomba em Carvalhos Distantes. *Poema epigráfico davídico. Quando os filisteus prenderam Davi em Gate.*

¹Tem misericórdia de mim, ó Deus,
   pois os homens me pressionam;
o tempo todo me atacam e me oprimem.
²Os meus inimigos pressionam-me sem parar;
muitos atacam-me arrogantemente.

³Mas eu, quando estiver com medo,
   confiarei em ti.

⁴Em Deus, cuja palavra eu louvo,
   em Deus eu confio, e não temerei.
Que poderá fazer-me o simples mortal?

⁵O tempo todo
   eles distorcem as minhas palavras;
estão sempre tramando prejudicar-me.
⁶Conspiram, ficam à espreita,
vigiam os meus passos,
   na esperança de tirar-me a vida.
⁷Deixarás escapar essa gente tão perversa?ª
Na tua ira, ó Deus, derruba as nações.
⁸Registra, tu mesmo, o meu lamento;
recolhe as minhas lágrimas em teu odre;
acaso não estão anotadas em teu livro?

⁹Os meus inimigos retrocederão,
   quando eu clamar por socorro.
Com isso saberei que Deus está a meu favor.
¹⁰Confio em Deus, cuja palavra louvo,
no Senhor, cuja palavra louvo,
¹¹em Deus eu confio, e não temerei.
Que poderá fazer-me o homem?

¹²Cumprirei os votos que te fiz, ó Deus;
a ti apresentarei minhas ofertas de gratidão.
¹³Pois me livraste da morte
   e os meus pés de tropeçarem,
para que eu ande diante de Deus
   na luz que ilumina os vivos.

Salmo 57

Para o mestre de música. De acordo com a melodia **Não Destruas***. Poema epigráfico davídico. Quando Davi fugiu de Saul para a caverna.*

¹Misericórdia, ó Deus; misericórdia,
   pois em ti a minha alma se refugia.
Eu me refugiarei à sombra das tuas asas,
   até que passe o perigo.

ª **56:7** Ou *Rejeita-os por causa de sua maldade;*

²Clamo ao Deus Altíssimo,
a Deus, que para comigo
    cumpre o seu propósito.
³Dos céus ele me envia a salvação,
põe em fuga
    os que me perseguem de perto;

Pausa

Deus envia o seu amor e a sua fidelidade.

⁴Estou em meio a leões,
    ávidos para devorar;
seus dentes são lanças e flechas,
suas línguas são espadas afiadas.

⁵Sê exaltado, ó Deus, acima dos céus!
Sobre toda a terra esteja a tua glória!

⁶Preparam armadilhas para os meus pés;
    fiquei muito abatido.
Abriram uma cova no meu caminho,
    mas foram eles que nela caíram.

Pausa

⁷Meu coração está firme, ó Deus,
    meu coração está firme;
cantarei ao som de instrumentos!
⁸Acorde, minha alma!
    Acordem, harpa e lira!
    Vou despertar a alvorada!
⁹Eu te louvarei, ó Senhor, entre as nações;
cantarei teus louvores entre os povos.
¹⁰Pois o teu amor é tão grande
    que alcança os céus;
a tua fidelidade vai até as nuvens.

¹¹Sê exaltado, ó Deus, acima dos céus!
    Sobre toda a terra esteja a tua glória!

Salmo 58

Para o mestre de música. De acordo com a melodia
Não Destruas. *Davídico. Poema epigráfico.*

¹Será que vocês, poderosos[a],
  falam de fato com justiça?
Será que vocês, homens, julgam retamente?
²Não! No coração vocês tramam a injustiça,
e na terra as suas mãos espalham a violência.

³Os ímpios erram o caminho desde o ventre;
desviam-se os mentirosos desde que nascem.
⁴Seu veneno é como veneno de serpente;
tapam os ouvidos,
  como a cobra que se faz de surda
⁵para não ouvir a música dos encantadores,
que fazem encantamentos com tanta habilidade.
⁶Quebra os dentes deles, ó Deus;
arranca, Senhor, as presas desses leões!
⁷Desapareçam como a água que escorre!
Quando empunharem o arco,
  caiam sem força as suas flechas![b]
⁸Sejam como a lesma
  que se derrete pelo caminho;
como feto abortado, não vejam eles o sol!

⁹Os ímpios serão varridos
  antes que as suas panelas
  sintam o calor da lenha[c],
  esteja ela verde ou seca.
¹⁰Os justos se alegrarão quando forem vingados,
quando banharem seus pés
  no sangue dos ímpios.
¹¹Então os homens comentarão:
  "De fato os justos
  têm a sua recompensa;
com certeza há um Deus
  que faz justiça na terra".

---
[a] **58:1** Ou *deuses*
[b] **58:7** Ou *murchem como a erva que é pisada!*
[c] **58:9** Hebraico: *dos espinhos*.

Salmo 59

Para o mestre de música. De acordo com a melodia Não Destruas. *Poema epigráfico davídico, quando Saul enviou homens para vigiarem a casa de Davi a fim de matá-lo.*

¹Livra-me dos meus inimigos, ó Deus;
põe-me fora do alcance dos meus agressores.
²Livra-me dos que praticam o mal
e salva-me dos assassinos.

³Vê como ficam à minha espreita!
Homens cruéis conspiram contra mim,
sem que eu tenha cometido
   qualquer delito ou pecado, ó Senhor.
⁴Mesmo eu não tendo culpa de nada,
   eles se preparam às pressas para atacar-me.
Levanta-te para ajudar-me;
   olha para a situação em que me encontro!
⁵Ó Senhor, Deus dos Exércitos,
   ó Deus de Israel!
Desperta para castigar todas as nações;
não tenhas misericórdia
   dos traidores perversos.

Pausa

⁶Eles voltam ao cair da tarde,
   rosnando como cães
   e rondando a cidade.
⁷Vê que ameaças saem de suas bocas;
seus lábios são como espadas,
e dizem: "Quem nos ouvirá?"
⁸Mas tu, Senhor, vais rir deles;
   caçoarás de todas aquelas nações.

⁹Ó tu, minha força, por ti vou aguardar;
tu, ó Deus, és o meu alto refúgio.
¹⁰O meu Deus fiel
   virá ao meu encontro
e permitirá que eu triunfe
   sobre os meus inimigos.
¹¹Mas não os mates, ó Senhor, nosso escudo,
   se não, o meu povo o esquecerá.

Em teu poder faze-os vaguearem,
   e abate-os.
¹²Pelos pecados de suas bocas,
   pelas palavras de seus lábios,
sejam apanhados em seu orgulho.
Pelas maldições e mentiras que pronunciam,
¹³consome-os em tua ira,
   consome-os até que não mais existam.
Então se saberá até os confins da terra
   que Deus governa Jacó.

Pausa

¹⁴Eles voltam ao cair da tarde,
   rosnando como cães,
   e rondando a cidade.
¹⁵À procura de comida perambulam
e, se não ficam satisfeitos, uivam.
¹⁶Mas eu cantarei louvores à tua força;
   de manhã louvarei a tua fidelidade,
pois tu és o meu alto refúgio,
   abrigo seguro nos tempos difíceis.

¹⁷Ó minha força, canto louvores a ti;
tu és, ó Deus, o meu alto refúgio,
   o Deus que me ama.

Salmo 60

Para o mestre de música. De acordo com a melodia O Lírio da Aliança.
*Didático. Poema epigráfico davídico. Quando Davi combateu Arã Naaraim[a]
e Arã Zobá[b], e quando Joabe voltou e feriu doze mil edomitas no vale do Sal.*

¹Tu nos rejeitaste e nos dispersaste, ó Deus;
tu derramaste a tua ira;
   restaura-nos agora!
²Sacudiste a terra e abriste-lhe fendas;
repara suas brechas,
   pois ameaça desmoronar-se.

---
[a] Título: Isto é, os arameus do nordeste da Mesopotâmia.
[b] Título: Isto é, os arameus da Síria central.

³Fizeste passar o teu povo por tempos difíceis;
deste-nos um vinho estontante.

⁴Mas aos que te temem deste um sinal
  para que fugissem das flechas.

Pausa

⁵Salva-nos com a tua mão direita
  e responde-nos,
para que sejam libertos aqueles a quem amas.
⁶Do seu santuário[a] Deus falou:
  "No meu triunfo dividirei Siquém
  e repartirei o vale de Sucote.
⁷Gileade é minha, Manassés também;
  Efraim é o meu capacete,
  Judá é o meu cetro.
⁸Moabe é a pia em que me lavo,
  em Edom atiro a minha sandália;
  sobre a Filístia dou meu brado de vitória!"

⁹Quem me levará à cidade fortificada?
  Quem me guiará a Edom?
¹⁰Não foste tu, ó Deus, que nos rejeitaste
  e deixaste de sair com os nossos exércitos?
¹¹Dá-nos ajuda contra os adversários,
pois inútil é o socorro do homem.
¹²Com Deus conquistaremos a vitória,
  e ele pisoteará os nossos adversários.

Salmo 61

Para o mestre de música. Com instrumentos de cordas. Davídico.

¹Ouve o meu clamor, ó Deus;
atenta para a minha oração.

²Desde os confins da terra eu clamo a ti,
  com o coração abatido;
põe-me a salvo na rocha mais alta do que eu.
³Pois tu tens sido o meu refúgio,
uma torre forte contra o inimigo.

---
[a] **60:6** Ou *Na sua santidade*

⁴Para sempre anseio habitar na tua tenda
e refugiar-me no abrigo das tuas asas.

Pausa

⁵Pois ouviste os meus votos, ó Deus;
deste-me a herança que concedes
  aos que temem o teu nome.

⁶Prolonga os dias do rei,
por muitas gerações os seus anos de vida.
⁷Para sempre esteja ele em seu trono,
  diante de Deus;
envia o teu amor e a tua fidelidade
  para protegê-lo.

⁸Então sempre cantarei louvores ao teu nome,
  cumprindo os meus votos cada dia.

Salmo 62

Para o mestre de música. Ao estilo de Jedutum. Salmo davídico.

¹A minha alma descansa somente em Deus;
dele vem a minha salvação.
²Somente ele é a rocha que me salva;
ele é a minha torre segura! Jamais serei abalado!

³Até quando todos vocês atacarão um homem
  que está como um muro inclinado,
como uma cerca prestes a cair?
⁴Todo o propósito deles é derrubá-lo
  de sua posição elevada;
eles se deliciam com mentiras.
Com a boca abençoam,
  mas no íntimo amaldiçoam.

Pausa

⁵Descanse somente em Deus,
  ó minha alma;
dele vem a minha esperança.
⁶Somente ele é a rocha que me salva;
ele é a minha torre alta! Não serei abalado!

⁷A minha salvação e a minha honra
   de Deus dependem;
ele é a minha rocha firme, o meu refúgio.
⁸Confie nele em todos os momentos, ó povo;
derrame diante dele o coração,
   pois ele é o nosso refúgio.

Pausa

⁹Os homens de origem humilde
   não passam de um sopro,
os de origem importante
   não passam de mentira;
pesados na balança,
   juntos não chegam ao peso de um sopro.
¹⁰Não confiem na extorsão,
   nem ponham a esperança em bens roubados;
se as suas riquezas aumentam,
   não ponham nelas o coração.

¹¹Uma vez Deus falou,
   duas vezes eu ouvi,
que o poder pertence a Deus.
¹²Contigo também, Senhor, está a fidelidade.
É certo que retribuirás a cada um
   conforme o seu procedimento.

Salmo 63

Salmo de Davi, quando ele estava no deserto de Judá.

¹Ó Deus, tu és o meu Deus,
   eu te busco intensamente;
a minha alma tem sede de ti!
Todo o meu ser anseia por ti,
   numa terra seca, exausta e sem água.

²Quero contemplar-te no santuário
e avistar o teu poder e a tua glória.
³O teu amor é melhor do que a vida!
Por isso os meus lábios te exaltarão.
⁴Enquanto eu viver te bendirei,
e em teu nome levantarei as minhas mãos.

⁵A minha alma ficará satisfeita
  como quando tem rico banquete;
com lábios jubilosos a minha boca te louvará.

⁶Quando me deito lembro-me de ti;
penso em ti durante as vigílias da noite.
⁷Porque és a minha ajuda,
canto de alegria à sombra das tuas asas.
⁸A minha alma apega-se a ti;
a tua mão direita me sustém.
⁹Aqueles, porém, que querem matar-me
  serão destruídos;
descerão às profundezas da terra.
¹⁰Serão entregues à espada
  e devorados por chacais.

¹¹Mas o rei se alegrará em Deus;
todos os que juram pelo nome de Deus
  o louvarão,
mas as bocas dos mentirosos serão tapadas.

Salmo 64

Para o mestre de música. Salmo davídico.

¹Ouve-me, ó Deus, quando faço a minha queixa;
protege a minha vida do inimigo ameaçador.
²Defende-me da conspiração dos ímpios
e da ruidosa multidão de malfeitores.

³Eles afiam a língua como espada
  e apontam, como flechas, palavras envenenadas.
⁴De onde estão emboscados
  atiram no homem íntegro;
atiram de surpresa, sem qualquer temor.

⁵Animam-se uns aos outros
  com planos malignos,
combinam como ocultar as suas armadilhas,
  e dizem: "Quem as[a] verá?"

---
[a] 64:5 Ou *nos*

⁶Tramam a injustiça e dizem:
   "Fizemosª um plano perfeito!"
A mente e o coração de cada um deles
   o encobrem!ᵇ

⁷Mas Deus atirará neles suas flechas;
repentinamente serão atingidos.
⁸Pelas próprias palavras
   farão cair uns aos outros;
menearão a cabeça e zombarão deles
   todos os que os virem.

⁹Todos os homens temerão,
e proclamarão as obras de Deus,
   refletindo no que ele fez.
¹⁰Alegrem-se os justos no Senhor
   e nele busquem refúgio;
congratulem-se todos os retos de coração!

Salmo 65

Para o mestre de música. Salmo davídico. Um cântico.

¹O louvor te aguardaᶜ em Sião, ó Deus;
os votos que te fizemos serão cumpridos.
²Ó tu que ouves a oração,
a ti virão todos os homens.
³Quando os nossos pecados pesavam sobre nós,
tu mesmo fizeste propiciação
   por nossas transgressões.
⁴Como são felizes aqueles que escolhes
   e trazes a ti, para viverem nos teus átrios!
Transbordamos de bênçãos da tua casa,
   do teu santo templo!

⁵Tu nos respondes
   com temíveis feitos de justiça,
ó Deus, nosso Salvador,

ª **64:6** Ou *Eles ocultam*
ᵇ **64:6** Ou *Ninguém nos descobrirá!*
ᶜ **65:1** Ou *O louvor é apropriado a ti*

esperança de todos os confins da terra
  e dos mais distantes mares.
⁶Tu que firmaste os montes pela tua força,
  pelo teu grande poder.
⁷Tu que acalmas o bramido dos mares,
  o bramido de suas ondas,
  e o tumulto das nações.
⁸Tremem os habitantes das terras distantes
  diante das tuas maravilhas;
do nascente ao poente
  despertas canções de alegria.

⁹Cuidas da terra e a regas;
  fartamente a enriqueces.
Os riachos de Deus transbordam
  para que nunca falte o trigo,
pois assim ordenaste.[a]
¹⁰Encharcas os seus sulcos
  e aplainas os seus torrões;
tu a amoleces com chuvas
  e abençoas as suas colheitas.
¹¹Coroas o ano com a tua bondade,
e por onde passas emana fartura;
¹²fartura vertem as pastagens do deserto,
e as colinas se vestem de alegria.
¹³Os campos se revestem de rebanhos
e os vales se cobrem de trigo;
  eles exultam e cantam de alegria!

Salmo 66

Para o mestre de música. Um cântico. Um salmo.

¹Aclamem a Deus, povos de toda terra!
²Cantem louvores ao seu glorioso nome;
louvem-no gloriosamente!
³Digam a Deus:
  "Quão temíveis são os teus feitos!
  Tão grande é o teu poder que os teus inimigos
  rastejam diante de ti!

---
[a] **65:9** Ou *pois é assim que preparas a terra.*

⁴Toda a terra te adora
  e canta louvores a ti,
  canta louvores ao teu nome".

Pausa

⁵Venham e vejam o que Deus tem feito;
como são impressionantes
  as suas obras em favor dos homens!
⁶Ele transformou o mar em terra seca,
  e o povo atravessou as águas[a] a pé;
e ali nos alegramos nele.[b]
⁷Ele governa para sempre com o seu poder,
  seus olhos vigiam as nações;
que os rebeldes
  não se levantem contra ele!

Pausa

⁸Bendigam o nosso Deus, ó povos,
façam ressoar o som do seu louvor;
⁹foi ele quem preservou a nossa vida
  impedindo que os nossos pés escorregassem.
¹⁰Pois tu, ó Deus, nos submeteste à prova
e nos refinaste como a prata.
¹¹Fizeste-nos cair numa armadilha
e sobre nossas costas puseste fardos.
¹²Deixaste que os inimigos cavalgassem
  sobre a nossa cabeça;
passamos pelo fogo e pela água,
  mas a um lugar de fartura[c] nos trouxeste.

¹³Para o teu templo virei com holocaustos[d]
e cumprirei os meus votos para contigo,
¹⁴votos que os meus lábios fizeram
  e a minha boca falou
quando eu estava em dificuldade.
¹⁵Oferecerei a ti animais gordos em holocausto;
sacrificarei carneiros, cuja fumaça subirá a ti,
e também novilhos e cabritos.

Pausa

---

[a] **66:6** Ou *o rio*
[b] **66:6** Ou *venham, alegremo-nos nele.*
[c] **66:12** Algumas versões antigas dizem *de repouso.*
[d] **66:13** Isto é, sacrifícios totalmente queimados; também no versículo 15.

¹⁶Venham e ouçam,
   todos vocês que temem a Deus;
vou contar-lhes o que ele fez por mim.
¹⁷A ele clamei com os lábios;
   com a língua o exaltei.
¹⁸Se eu acalentasse o pecado no coração,
   o Senhor não me ouviria;
¹⁹mas Deus me ouviu,
   deu atenção à oração que lhe dirigi.
²⁰Louvado seja Deus,
   que não rejeitou a minha oração
nem afastou de mim o seu amor!

Salmo 67

Para o mestre de música. Com instrumentos de cordas. Um salmo. Um cântico.

¹Que Deus tenha misericórdia de nós
   e nos abençoe,
e faça resplandecer
   o seu rosto sobre nós[a],

Pausa

²para que sejam conhecidos na terra
   os teus caminhos,
a tua salvação entre todas as nações.

³Louvem-te os povos, ó Deus;
louvem-te todos os povos.
⁴Exultem e cantem de alegria as nações,
pois governas os povos com justiça
e guias as nações na terra.

Pausa

⁵Louvem-te os povos, ó Deus;
louvem-te todos os povos.

⁶Que a terra dê a sua colheita,
e Deus, o nosso Deus, nos abençoe!
⁷Que Deus nos abençoe,
e o temam todos os confins da terra.

---
[a] **67:1** Isto é, mostre-nos a sua bondade.

Salmo 68

Para o mestre de música. Davídico. Um salmo. Um cântico.

¹Que Deus se levante!
Sejam espalhados os seus inimigos,
fujam dele os seus adversários.
²Que tu os dissipes
   assim como o vento leva a fumaça;
como a cera se derrete na presença do fogo,
   assim pereçam os ímpios na presença de Deus.
³Alegrem-se, porém, os justos!
   Exultem diante de Deus!
   Regozijem-se com grande alegria!

⁴Cantem a Deus, louvem o seu nome,
exaltem aquele que cavalga sobre as nuvens;[a]
seu nome é Senhor!
   Exultem diante dele!
⁵Pai para os órfãos e defensor das viúvas
   é Deus em sua santa habitação.
⁶Deus dá um lar aos solitários,
liberta os presos para a prosperidade,
mas os rebeldes vivem em terra árida.

⁷Quando saíste à frente do teu povo, ó Deus,
quando marchaste pelo ermo,

Pausa

⁸a terra tremeu,
   o céu derramou chuva
diante de Deus, o Deus do Sinai,
   diante de Deus, o Deus de Israel.
⁹Deste chuvas generosas, ó Deus;
refrescaste a tua herança exausta.
¹⁰O teu povo nela se instalou,
e da tua bondade, ó Deus, supriste os pobres.

¹¹O Senhor anunciou a palavra,
e muitos mensageiros a proclamavam:
¹²"Reis e exércitos fogem em debandada;
   a dona-de-casa reparte os despojos.[b]

---
[a] **68:4** Ou *preparem o caminho para aquele que cavalga pelos desertos;*
[b] **68:12** Ou *as belas mulheres do palácio são repartidas como despojo.*

¹³Mesmo quando vocês dormem
  entre as fogueiras do acampamentoª,
  as asas da minha pomba
  estão recobertas de prata,
  as suas penas, de ouro reluzente".
¹⁴Quando o Todo-poderoso espalhou os reis,
foi como neve no monte Zalmom.

¹⁵Os montes de Basã são majestosos;
escarpados são os montes de Basã.
¹⁶Por que, ó montes escarpados,
  estão com inveja do monte que Deus
  escolheu para sua habitação,
onde o próprio Senhor habitará para sempre?
¹⁷Os carros de Deus são incontáveis,
  são milhares de milhares;
neles o Senhor veio do Sinai
  para o seu Lugar Santo.
¹⁸Quando subiste em triunfo às alturas,
  ó Senhor Deus,
levaste cativos muitos prisioneiros;
recebeste homens como dádivas,
  até mesmo rebeldes,
para estabeleceres morada.ᵇ

¹⁹Bendito seja o Senhor,
  Deus, nosso Salvador,
que cada dia suporta as nossas cargas.

Pausa

²⁰O nosso Deus é um Deus que salva;
ele é o Soberano, ele é o Senhor
  que nos livra da morte.

²¹Certamente Deus
  esmagará a cabeça dos seus inimigos,
o crânio cabeludo
  dos que persistem em seus pecados.
²²"Eu os trarei de Basã", diz o Senhor,
  "eu os trarei das profundezas do mar,

ª **68:13** Ou *os alforjes*
ᵇ **68:18** Ou *dádivas dentre os homens, até dos que se rebelaram contra a tua habitação.*

²³para que você encharque os pés
   no sangue dos inimigos,
   sangue do qual a língua dos cães
   terá a sua porção."

²⁴Já se vê a tua marcha triunfal, ó Deus,
a marcha do meu Deus e Rei
   adentrando o santuário.
²⁵À frente estão os cantores, depois os músicos;
com eles vão as jovens tocando tamborins.
²⁶Bendigam a Deus na grande congregação!
Bendigam o SENHOR,
   descendentes[a] de Israel!
²⁷Ali está a pequena tribo de Benjamim,
   a conduzi-los,
os príncipes de Judá
   acompanhados de suas tropas,
e os príncipes de Zebulom e Naftali.

²⁸A favor de vocês,
   manifeste Deus o seu poder![b]
Mostra, ó Deus, o poder que já tens operado
   para conosco.
²⁹Por causa do teu templo em Jerusalém,
   reis te trarão presentes.
³⁰Repreende a fera entre os juncos,
a manada de touros
   entre os bezerros das nações.
Humilhados, tragam barras de prata.
Espalha as nações que têm prazer na guerra.
³¹Ricos tecidos[c] venham do Egito;
a Etiópia corra para Deus de mãos cheias.

³²Cantem a Deus, reinos da terra,
   louvem o Senhor,

Pausa

³³aquele que cavalga os céus, os antigos céus.
Escutem! Ele troveja com voz poderosa.

---
[a] **68:26** Hebraico: *fonte.*
[b] **68:28** Conforme alguns manuscritos do Texto Massorético. Muitos manuscritos do Texto Massorético e algumas versões antigas dizem *Manifesta, ó Deus, o teu poder!*
[c] **68:31** Ou *embaixadores*

³⁴Proclamem o poder de Deus!
Sua majestade está sobre Israel,
seu poder está nas altas nuvens.
³⁵Tu és temível no teu santuário, ó Deus;
é o Deus de Israel
   que dá poder e força ao seu povo.

Bendito seja Deus!

Salmo 69

Para o mestre de música. De acordo com a melodia **Lírios**. *Davídico.*

¹Salva-me, ó Deus!,
   pois as águas subiram até o meu pescoço.
²Nas profundezas lamacentas eu me afundo;
   não tenho onde firmar os pés.
Entrei em águas profundas;
   as correntezas me arrastam.
³Cansei-me de pedir socorro;
   minha garganta se abrasa.
Meus olhos fraquejam
   de tanto esperar pelo meu Deus.
⁴Os que sem razão me odeiam
   são mais do que os fios de cabelo
   da minha cabeça;
muitos são os que me prejudicam sem motivo,
muitos, os que procuram destruir-me.
Sou forçado a devolver o que não roubei.

⁵Tu bem sabes como fui insensato, ó Deus;
a minha culpa não te é encoberta.

⁶Não se decepcionem por minha causa
   aqueles que esperam em ti,
ó Senhor, Senhor dos Exércitos!
Não se frustrem por minha causa
os que te buscam, ó Deus de Israel!
⁷Pois por amor a ti suporto zombaria,
e a vergonha cobre-me o rosto.
⁸Sou um estrangeiro para os meus irmãos,
um estranho até para os filhos da minha mãe;

⁹pois o zelo pela tua casa me consome,
e os insultos daqueles que te insultam
   caem sobre mim.
¹⁰Até quando choro e jejuo,
   tenho que suportar zombaria;
¹¹quando ponho vestes de lamento,
   sou objeto de chacota.
¹²Os que se ajuntam na praça falam de mim,
   e sou a canção dos bêbados.

¹³Mas eu, Senhor, no tempo oportuno,
   elevo a ti minha oração;
responde-me, por teu grande amor, ó Deus,
   com a tua salvação infalível!
¹⁴Tira-me do atoleiro,
   não me deixes afundar;
liberta-me dos que me odeiam
   e das águas profundas.
¹⁵Não permitas que as correntezas me arrastem,
   nem que as profundezas me engulam,
   nem que a cova feche sobre mim a sua boca!
¹⁶Responde-me, Senhor,
   pela bondade do teu amor;
por tua grande misericórdia, volta-te para mim.
¹⁷Não escondas do teu servo a tua face;
responde-me depressa, pois estou em perigo.
¹⁸Aproxima-te e resgata-me;
livra-me por causa dos meus inimigos.
¹⁹Tu bem sabes como sofro zombaria,
   humilhação e vergonha;
conheces todos os meus adversários.
²⁰A zombaria partiu-me o coração;
   estou em desespero!
Supliquei por socorro, nada recebi;
por consoladores, e a ninguém encontrei.
²¹Puseram fel na minha comida
e para matar-me a sede deram-me vinagre.

²²Que a mesa deles se lhes transforme em laço;
torne-se retribuição e_a_ armadilha.
²³Escureçam-se os seus olhos
   para que não consigam ver;
faze-lhes tremer o corpo sem parar.
²⁴Despeja sobre eles a tua ira;
que o teu furor ardente os alcance.
²⁵Fique deserto o lugar deles;
não haja ninguém que habite nas suas tendas.
²⁶Pois perseguem aqueles que tu feres
e comentam a dor daqueles a quem castigas.
²⁷Acrescenta-lhes pecado sobre pecado;
não os deixes alcançar a tua justiça.
²⁸Sejam eles tirados do livro da vida
e não sejam incluídos no rol dos justos.

²⁹Grande é a minha aflição e a minha dor!
Proteja-me, ó Deus, a tua salvação!

³⁰Louvarei o nome de Deus com cânticos
e proclamarei sua grandeza
   com ações de graças;
³¹isso agradará o Senhor mais do que bois,
mais do que touros com seus chifres e cascos.
³²Os necessitados o verão e se alegrarão;
a vocês que buscam a Deus,
   vida ao seu coração!
³³O Senhor ouve o pobre
e não despreza o seu povo aprisionado.

³⁴Louvem-no os céus e a terra,
os mares e tudo o que neles se move,
³⁵pois Deus salvará Sião
   e reconstruirá as cidades de Judá.
Então o povo ali viverá e tomará posse da terra;
³⁶a descendência dos seus servos a herdará,
e nela habitarão os que amam o seu nome.

---

[a] **69:22** Ou *Que até as suas ofertas de comunhão se tornem em armadilha;* ou ainda *Que até os seus aliados se tornem uma armadilha*

Salmo 70

Para o mestre de música. Davídico. Uma petição.

¹Livra-me, ó Deus!
Apressa-te, Senhor, a ajudar-me!
²Sejam humilhados e frustrados
　os que procuram tirar-me a vida;
retrocedam desprezados
　os que desejam a minha ruína.
³Retrocedam em desgraça
　os que zombam de mim.
⁴Mas regozijem-se e alegrem-se em ti
　todos os que te buscam;
digam sempre os que amam a tua salvação:
　"Como Deus é grande!"

⁵Quanto a mim, sou pobre e necessitado;
　apressa-te, ó Deus.
Tu és o meu socorro e o meu libertador;
　Senhor, não te demores!

Salmo 71

¹Em ti, Senhor, busquei refúgio;
nunca permitas que eu seja humilhado.
²Resgata-me e livra-me por tua justiça;
inclina o teu ouvido para mim e salva-me.
³Peço-te que sejas a minha rocha de refúgio,
　para onde eu sempre possa ir;
dá ordem para que me libertem,
　pois és a minha rocha
　e a minha fortaleza.
⁴Livra-me, ó meu Deus, das mãos dos ímpios,
　das garras dos perversos e cruéis.

⁵Pois tu és a minha esperança,
　ó Soberano Senhor,
em ti está a minha confiança desde a juventude.
⁶Desde o ventre materno dependo de ti;
tu me sustentaste[a]

---

[a] **71:6** Ou *separaste*

desde as entranhas de minha mãe.
Eu sempre te louvarei!
⁷Tornei-me um exemplo para muitos,
porque tu és o meu refúgio seguro.
⁸Do teu louvor transborda a minha boca,
que o tempo todo proclama o teu esplendor.

⁹Não me rejeites na minha velhice;
não me abandones
   quando se vão as minhas forças.
¹⁰Pois os meus inimigos me caluniam;
os que estão à espreita juntam-se e
   planejam matar-me.
¹¹"Deus o abandonou", dizem eles;
   "persigam-no e prendam-no,
pois ninguém o livrará."
¹²Não fiques longe de mim, ó Deus;
ó meu Deus, apressa-te em ajudar-me.
¹³Pereçam humilhados os meus acusadores;
sejam cobertos de zombaria e vergonha
   os que querem prejudicar-me.
¹⁴Mas eu sempre terei esperança
e te louvarei cada vez mais.
¹⁵A minha boca falará sem cessar da tua justiça
e dos teus incontáveis atos de salvação.
¹⁶Falarei dos teus feitos poderosos,
   ó Soberano Senhor;
proclamarei a tua justiça,
   unicamente a tua justiça.
¹⁷Desde a minha juventude, ó Deus,
   tens me ensinado,
e até hoje eu anuncio as tuas maravilhas.
¹⁸Agora que estou velho, de cabelos brancos,
   não me abandones, ó Deus,
para que eu possa falar da tua força
   aos nossos filhos,
e do teu poder às futuras gerações.

¹⁹Tua justiça chega até as alturas, ó Deus,
tu, que tens feito coisas grandiosas.
Quem se compara a ti, ó Deus?

²⁰Tu, que me fizeste passar
   muitas e duras tribulações,
restaurarás a minha vida,
   e das profundezas da terra
   de novo me farás subir.
²¹Tu me farás mais honrado
e mais uma vez me consolarás.

²²E eu te louvarei com a lira
   por tua fidelidade, ó meu Deus;
cantarei louvores a ti com a harpa,
   ó Santo de Israel.
²³Os meus lábios gritarão de alegria
   quando eu cantar louvores a ti,
pois tu me redimiste.
²⁴Também a minha língua sempre falará
   dos teus atos de justiça,
pois os que queriam prejudicar-me
   foram humilhados e ficaram frustrados.

Salmo 72

De Salomão.

¹Reveste da tua justiça o rei, ó Deus,
e o filho do rei, da tua retidão,
²para que ele julgue com retidão
e com justiça os teus que sofrem opressão.
³Que os montes tragam prosperidade ao povo,
e as colinas, o fruto da justiça.
⁴Defenda ele os oprimidos entre o povo
e liberte os filhos dos pobres;
   esmague ele o opressor!

⁵Que ele perdure[a] como o sol
e como a lua, por todas as gerações.
⁶Seja ele como chuva
   sobre uma lavoura ceifada,
como aguaceiros que regam a terra.

---
[a] **72:5** Conforme a Septuaginta. O Texto Massorético diz *Que tu sejas temido*.

⁷Floresçam os justos nos dias do rei,
e haja grande prosperidade enquanto durar a lua.

⁸Governe ele de mar a mar
e desde o rio Eufrates até os confins da terra[a].
⁹Inclinem-se diante dele as tribos do deserto[b],
e os seus inimigos lambam o pó.
¹⁰Que os reis de Társis e das regiões litorâneas
   lhe tragam tributo;
os reis de Sabá e de Sebá
   lhe ofereçam presentes.
¹¹Inclinem-se diante dele todos os reis,
e sirvam-no todas as nações.

¹²Pois ele liberta os pobres que pedem socorro,
os oprimidos que não têm quem os ajude.
¹³Ele se compadece dos fracos e dos pobres,
e os salva da morte.
¹⁴Ele os resgata da opressão e da violência,
pois aos seus olhos a vida[c] deles é preciosa.

¹⁵Tenha o rei vida longa!
   Receba ele o ouro de Sabá.
Que se ore por ele continuamente,
e todo o dia se invoquem bênçãos sobre ele.
¹⁶Haja fartura de trigo por toda a terra,
   ondulando no alto dos montes.
Floresçam os seus frutos como os do Líbano
   e cresçam as cidades como as plantas no campo.
¹⁷Permaneça para sempre o seu nome
   e dure a sua fama enquanto o sol brilhar.
Sejam abençoadas todas as nações
   por meio dele,
e que elas o chamem bendito.
¹⁸Bendito seja o Senhor Deus,
   o Deus de Israel,
o único que realiza feitos maravilhosos.

---

[a] **72:8** Ou *do país*
[b] **72:9** Ou *criaturas do deserto;* ou ainda *adversários*
[c] **72:14** Hebraico: *sangue*.

¹⁹Bendito seja
  o seu glorioso nome para sempre;
encha-se toda a terra da sua glória.
  Amém e amém.

²⁰Encerram-se aqui as orações de Davi, filho de Jessé.

TERCEIRO LIVRO

Salmo 73

Salmo da família de Asafe.

¹Certamente Deus é bom para Israel,
  para os puros de coração.

²Quanto a mim, os meus pés quase tropeçaram;
  por pouco não escorreguei.
³Pois tive inveja dos arrogantes
  quando vi a prosperidade desses ímpios.

⁴Eles não passam por sofrimento[a]
e têm o corpo saudável e forte.
⁵Estão livres dos fardos de todos;
não são atingidos por doenças
  como os outros homens.
⁶Por isso o orgulho lhes serve de colar,
e eles se vestem de violência.
⁷Do seu íntimo[b] brota a maldade[c];
da sua mente transbordam maquinações.
⁸Eles zombam e falam com más intenções;
em sua arrogância ameaçam com opressão.
⁹Com a boca arrogam a si os céus,
e com a língua se apossam da terra.
¹⁰Por isso o seu povo se volta para eles
e bebe suas palavras até saciar-se.
¹¹Eles dizem: "Como saberá Deus?
  Terá conhecimento o Altíssimo?"

---
[a] 73:4 Ou *sofrimento até morrer*; ou ainda *sofrimento; até morrer o corpo deles é*
[b] 73:7 Hebraico: *gordura*.
[c] 73:7 Conforme a Versão Siríaca. O Texto Massorético diz *Seus olhos saltam-lhes da gordura*.

¹²Assim são os ímpios;
sempre despreocupados,
 aumentam suas riquezas.

¹³Certamente foi-me inútil
 manter puro o coração
 e lavar as mãos na inocência,
¹⁴pois o dia inteiro sou afligido,
e todas as manhãs sou castigado.
¹⁵Se eu tivesse dito: Falarei como eles,
teria traído os teus filhos.
¹⁶Quando tentei entender tudo isso,
achei muito difícil para mim,
¹⁷até que entrei no santuário de Deus,
e então compreendi o destino dos ímpios.

¹⁸Certamente os pões em terreno escorregadio
e os fazes cair na ruína.
¹⁹Como são destruídos de repente,
completamente tomados de pavor!
²⁰São como um sonho
 que se vai quando acordamos;
quando te levantares, Senhor,
 tu os farás desaparecer.

²¹Quando o meu coração estava amargurado
e no íntimo eu sentia inveja,
²²agi como insensato e ignorante;
minha atitude para contigo
 era a de um animal irracional.

²³Contudo, sempre estou contigo;
tomas a minha mão direita e me susténs.
²⁴Tu me diriges com o teu conselho,
e depois me receberás com honras.
²⁵A quem tenho nos céus senão a ti?
E na terra, nada mais desejo
 além de estar junto a ti.
²⁶O meu corpo e o meu coração
 poderão fraquejar,
mas Deus é a força do meu coração
 e a minha herança para sempre.

²⁷Os que te abandonam sem dúvida perecerão;
tu destróis todos os infiéis.
²⁸Mas, para mim, bom é estar perto de Deus;
fiz do Soberano Senhor o meu refúgio;
 proclamarei todos os teus feitos.

Salmo 74

Poema da família de Asafe.

¹Por que nos rejeitaste definitivamente, ó Deus?
Por que se acende a tua ira
 contra as ovelhas da tua pastagem?
²Lembra-te do povo que adquiriste
 em tempos passados,
da tribo da tua herança, que resgataste,
 do monte Sião, onde habitaste.
³Volta os teus passos
 para aquelas ruínas irreparáveis,
para toda a destruição
 que o inimigo causou em teu santuário.

⁴Teus adversários gritaram triunfantes
 bem no local onde te encontravas conosco,
e hastearam suas bandeiras em sinal de vitória.
⁵Pareciam homens armados com machados
 invadindo um bosque cerrado.
⁶Com seus machados e machadinhas
 esmigalharam todos os revestimentos
 de madeira esculpida.
⁷Atearam fogo ao teu santuário;
profanaram o lugar da habitação do teu nome.
⁸Disseram no coração:
 "Vamos acabar com eles!"
Queimaram todos os santuários do país.
⁹Já não vemos sinais milagrosos;
não há mais profetas,
e nenhum de nós sabe
 até quando isso continuará.

¹⁰Até quando o adversário irá zombar, ó Deus?
Será que o inimigo blasfemará

o teu nome para sempre?
¹¹Por que reténs a tua mão, a tua mão direita?
Não fiques de braços cruzados! Destrói-os!

¹²Mas tu, ó Deus,
   és o meu rei desde a antiguidade;
trazes salvação sobre a terra.
¹³Tu dividiste o mar pelo teu poder;
quebraste as cabeças das serpentes das águas.
¹⁴Esmagaste as cabeças do Leviatã[a]
e o deste por comida às criaturas do deserto.
¹⁵Tu abriste fontes e regatos;
secaste rios perenes.
¹⁶O dia é teu, e tua também é a noite;
estabeleceste o sol e a lua.
¹⁷Determinaste todas as fronteiras da terra;
fizeste o verão e o inverno.

¹⁸Lembra-te de como o inimigo
   tem zombado de ti, ó Senhor,
como os insensatos têm blasfemado o teu nome.
¹⁹Não entregues a vida da tua pomba
   aos animais selvagens;
não te esqueças para sempre da vida
   do teu povo indefeso.
²⁰Dá atenção à tua aliança,
porque de antros de violência se enchem
   os lugares sombrios do país.
²¹Não deixes que o oprimido
   se retire humilhado!
Faze que o pobre e o necessitado
   louvem o teu nome.

²²Levanta-te, ó Deus, e defende a tua causa;
lembra-te de como os insensatos
   zombam de ti sem cessar.
²³Não ignores a gritaria dos teus adversários,
o crescente tumulto dos teus inimigos.

---
[a] **74:14** Ou *monstro marinho*

Salmo 75

Para o mestre de música. De acordo com a melodia **Não Destruas***. Salmo da família de Asafe. Um cântico.*

¹Damos-te graças, ó Deus,
damos-te graças, pois perto está o teu nome;
todos falam dos teus feitos maravilhosos.

²Tu dizes: "Eu determino o tempo
   em que julgarei com justiça.
³Quando treme a terra
   com todos os seus habitantes,
sou eu que mantenho firmes
   as suas colunas.

Pausa

⁴"Aos arrogantes digo: Parem de vangloriar-se!
E aos ímpios: Não se rebelem![a]
⁵Não se rebelem contra os céus;
não falem com insolência".

⁶Não é do oriente nem do ocidente
   nem do deserto que vem a exaltação.
⁷É Deus quem julga:
Humilha a um, a outro exalta.
⁸Na mão do Senhor está um cálice
   cheio de vinho espumante e misturado;
ele o derrama, e todos os ímpios da terra
   o bebem até a última gota.
⁹Quanto a mim,
   para sempre anunciarei essas coisas;
cantarei louvores ao Deus de Jacó.
¹⁰Destruirei o poder[b] de todos os ímpios,
mas o poder dos justos aumentará.

Salmo 76

*Para o mestre de música. Com instrumentos de cordas.
Salmo da família de Asafe. Um cântico.*

¹Em Judá Deus é conhecido;
o seu nome é grande em Israel.

---
[a] **75:4** Hebraico: *Não levantem o chifre*; também no versículo 5.
[b] **75:10** Hebraico: *chifre*. Duas vezes neste versículo.

²Sua tenda está em Salém;
o lugar da sua habitação está em Sião.
³Ali quebrou ele as flechas reluzentes,
   os escudos e as espadas,
as armas de guerra.

Pausa

⁴Resplendes de luz!
És mais majestoso que os montes
   cheios de despojos.
⁵Os homens valorosos jazem saqueados,
   dormem o sono final;
nenhum dos guerreiros
   foi capaz de erguer as mãos.
⁶Diante da tua repreensão, ó Deus de Jacó,
   o cavalo e o carro estacaram.
⁷Somente tu és temível.
Quem poderá permanecer diante de ti
   quando estiveres irado?
⁸Dos céus pronunciaste juízo,
e a terra tremeu e emudeceu,
⁹quando tu, ó Deus, te levantaste para julgar,
para salvar todos os oprimidos da terra.

Pausa

¹⁰Até a tua ira contra os homens
   redundará em teu louvor,
e os sobreviventes da tua ira se refrearão.[a]

¹¹Façam votos ao SENHOR, ao seu Deus,
   e não deixem de cumpri-los;
que todas as nações vizinhas tragam presentes
   a quem todos devem temer.
¹²Ele tira o ânimo dos governantes
e é temido pelos reis da terra.

Salmo 77

Para o mestre de música. Ao estilo de Jedutum. Salmo da família de Asafe.

¹Clamo a Deus por socorro;
clamo a Deus que me escute.

---

[a] **76:10** Ou *Até a ira dos homens redundará em teu louvor, e com o restante da ira tu te armas.*

²Quando estou angustiado, busco o Senhor;
de noite estendo as mãos sem cessar;
a minha alma está inconsolável!

³Lembro-me de ti, ó Deus, e suspiro;
começo a meditar,
   e o meu espírito desfalece.

Pausa

⁴Não me permites fechar os olhos;
tão inquieto estou que não consigo falar.
⁵Fico a pensar nos dias que se foram,
nos anos há muito passados;
⁶de noite recordo minhas canções.
O meu coração medita,
   e o meu espírito pergunta:

⁷Irá o Senhor rejeitar-nos para sempre?
Jamais tornará a mostrar-nos o seu favor?
⁸Desapareceu para sempre o seu amor?
Acabou-se a sua promessa?
⁹Esqueceu-se Deus de ser misericordioso?
Em sua ira refreou sua compaixão?

Pausa

¹⁰Então pensei: A razão da minha dor
   é que a mão direita do Altíssimo não age mais.[a]

¹¹Recordarei os feitos do S<small>ENHOR</small>;
recordarei os teus antigos milagres.
¹²Meditarei em todas as tuas obras
e considerarei todos os teus feitos.

¹³Teus caminhos, ó Deus, são santos.
Que deus é tão grande como o nosso Deus?
¹⁴Tu és o Deus que realiza milagres;
mostras o teu poder entre os povos.
¹⁵Com o teu braço forte resgataste o teu povo,
   os descendentes de Jacó e de José.

Pausa

¹⁶As águas te viram, ó Deus,
as águas te viram e se contorceram;

---

[a] **77:10** Ou *Apelarei para o que há muito fez a mão direita do Altíssimo.*

até os abismos estremeceram.
¹⁷As nuvens despejaram chuvas,
   ressoou nos céus o trovão;
as tuas flechas reluziam em todas as direções.
¹⁸No redemoinho, estrondou o teu trovão,
os teus relâmpagos iluminaram o mundo;
a terra tremeu e sacudiu-se.
¹⁹A tua vereda passou pelo mar,
o teu caminho pelas águas poderosas,
e ninguém viu as tuas pegadas.

²⁰Guiaste o teu povo como a um rebanho
   pela mão de Moisés e de Arão.

Salmo 78

Poema da família de Asafe.

¹Povo meu, escute o meu ensino;
incline os ouvidos
   para o que eu tenho a dizer.
²Em parábolas abrirei a minha boca,
proferirei enigmas do passado;
³o que ouvimos e aprendemos,
o que nossos pais nos contaram.
⁴Não os esconderemos dos nossos filhos;
contaremos à próxima geração
   os louváveis feitos do SêNHOR,
o seu poder e as maravilhas que fez.
⁵Ele decretou estatutos para Jacó,
   e em Israel estabeleceu a lei,
e ordenou aos nossos antepassados
   que a ensinassem aos seus filhos,
⁶de modo que a geração seguinte a conhecesse,
   e também os filhos que ainda nasceriam,
e eles, por sua vez,
   contassem aos seus próprios filhos.
⁷Então eles porão a confiança em Deus;
não esquecerão os seus feitos
e obedecerão aos seus mandamentos.

⁸Eles não serão como os seus antepassados,
   obstinados e rebeldes,
povo de coração desleal para com Deus,
   gente de espírito infiel.

⁹Os homens de Efraim, flecheiros armados,
viraram as costas no dia da batalha;
¹⁰não guardaram a aliança de Deus
e se recusaram a viver de acordo com a sua lei.
¹¹Esqueceram o que ele tinha feito,
as maravilhas que lhes havia mostrado.
¹²Ele fez milagres diante dos seus antepassados,
na terra do Egito, na região de Zoã.
¹³Dividiu o mar para que pudessem passar;
fez a água erguer-se como um muro.
¹⁴Ele os guiou com a nuvem de dia
e com a luz do fogo de noite.
¹⁵Fendeu as rochas no deserto
e deu-lhes tanta água
   como a que flui das profundezas;
¹⁶da pedra fez sair regatos
e fluir água como um rio.

¹⁷Mas contra ele continuaram a pecar,
revoltando-se no deserto contra o Altíssimo.
¹⁸Deliberadamente puseram Deus à prova,
exigindo o que desejavam comer.
¹⁹Duvidaram de Deus, dizendo:
"Poderá Deus preparar uma mesa no deserto?
²⁰Sabemos que quando ele feriu a rocha
   a água brotou e jorrou em torrentes.
Mas conseguirá também dar-nos de comer?
   Poderá suprir de carne o seu povo?"
²¹O Senhor os ouviu e enfureceu-se;
com fogo atacou Jacó,
e sua ira levantou-se contra Israel,
²²pois eles não creram em Deus
nem confiaram no seu poder salvador.
²³Contudo, ele deu ordens às nuvens
e abriu as portas dos céus;

²⁴fez chover maná para que o povo comesse,
deu-lhe o pão[a] dos céus.
²⁵Os homens comeram o pão dos anjos;
enviou-lhes comida à vontade.
²⁶Enviou dos céus o vento oriental
e pelo seu poder fez avançar o vento sul.
²⁷Fez chover carne sobre eles como pó,
bandos de aves como a areia da praia.
²⁸Levou-as a cair dentro do acampamento,
ao redor das suas tendas.
²⁹Comeram à vontade,
e assim ele satisfez o desejo deles.
³⁰Mas, antes de saciarem o apetite,
quando ainda tinham a comida na boca,
³¹acendeu-se contra eles a ira de Deus;
e ele feriu de morte os mais fortes dentre eles,
   matando os jovens de Israel.

³²A despeito disso tudo, continuaram pecando;
não creram nos seus prodígios.
³³Por isso ele encerrou
   os dias deles como um sopro
e os anos deles em repentino pavor.
³⁴Sempre que Deus os castigava com a morte,
   eles o buscavam;
com fervor se voltavam de novo para ele.
³⁵Lembravam-se de que Deus era a sua Rocha,
de que o Deus Altíssimo era o seu Redentor.
³⁶Com a boca o adulavam,
com a língua o enganavam;
³⁷o coração deles não era sincero;
não foram fiéis à sua aliança.
³⁸Contudo, ele foi misericordioso;
perdoou-lhes as maldades
   e não os destruiu.
Vez após vez conteve a sua ira,
   sem despertá-la totalmente.
³⁹Lembrou-se de que eram meros mortais,
brisa passageira que não retorna.

---

[a] **78:24** Hebraico: *trigo*.

⁴⁰Quantas vezes mostraram-se rebeldes
   contra ele no deserto
e o entristeceram na terra solitária!
⁴¹Repetidas vezes puseram Deus à prova;
irritaram o Santo de Israel.
⁴²Não se lembravam da sua mão poderosa,
do dia em que os redimiu do opressor,
⁴³do dia em que mostrou
   os seus prodígios no Egito,
as suas maravilhas na região de Zoã,
⁴⁴quando transformou os rios
   e os riachos dos egípcios em sangue,
e eles não mais conseguiam beber das suas águas,
⁴⁵e enviou enxames de moscas
   que os devoraram,
e rãs que os devastaram;
⁴⁶quando entregou as suas plantações às larvas,
a produção da terra aos gafanhotos,
⁴⁷e destruiu as suas vinhas com a saraiva
e as suas figueiras bravas, com a geada;
⁴⁸quando entregou o gado deles ao granizo,
os seus rebanhos aos raios;
⁴⁹quando os atingiu com a sua ira ardente,
   com furor, indignação e hostilidade,
com muitos anjos destruidores.
⁵⁰Abriu caminho para a sua ira;
não os poupou da morte,
mas os entregou à peste.
⁵¹Matou todos os primogênitos do Egito,
as primícias do vigor varonil
   das tendas de Cam.
⁵²Mas tirou o seu povo como ovelhas
e o conduziu como a um rebanho pelo deserto.
⁵³Ele os guiou em segurança,
   e não tiveram medo;
e os seus inimigos afundaram-se no mar.
⁵⁴Assim os trouxe à fronteira
   da sua terra santa,
aos montes que a sua mão direita conquistou.

⁵⁵Expulsou nações que lá estavam,
distribuiu-lhes as terras por herança
e deu suas tendas às tribos de Israel
   para que nelas habitassem.

⁵⁶Mas eles puseram Deus à prova
   e foram rebeldes contra o Altíssimo;
não obedeceram aos seus testemunhos.
⁵⁷Foram desleais e infiéis,
   como os seus antepassados,
confiáveis como um arco defeituoso.
⁵⁸Eles o irritaram com os altares idólatras;
com os seus ídolos lhe provocaram ciúmes.
⁵⁹Sabendo-o Deus, enfureceu-se
e rejeitou totalmente Israel;
⁶⁰abandonou o tabernáculo de Siló,
a tenda onde habitava entre os homens.
⁶¹Entregou o símbolo do seu poder ao cativeiro,
e o seu esplendor, nas mãos do adversário.
⁶²Deixou que o seu povo fosse morto à espada,
pois enfureceu-se com a sua herança.
⁶³O fogo consumiu os seus jovens,
e as suas moças não tiveram
   canções de núpcias;
⁶⁴os sacerdotes foram mortos à espada!
As viúvas já nem podiam chorar!

⁶⁵Então o Senhor despertou
   como que de um sono,
como um guerreiro despertado do domínio do vinho.
⁶⁶Fez retroceder a golpes os seus adversários
e os entregou a permanente humilhação.
⁶⁷Também rejeitou as tendas de José,
e não escolheu a tribo de Efraim;
⁶⁸ao contrário, escolheu a tribo de Judá
e o monte Sião, o qual amou.
⁶⁹Construiu o seu santuário como as alturas;
como a terra o firmou para sempre.
⁷⁰Escolheu o seu servo Davi
e o tirou do aprisco das ovelhas,

⁷¹do pastoreio de ovelhas,
para ser o pastor de Jacó, seu povo,
   de Israel, sua herança.
⁷²E de coração íntegro Davi os pastoreou;
   com mãos experientes os conduziu.

Salmo 79

Salmo da família de Asafe.

¹Ó Deus, as nações invadiram a tua herança,
profanaram o teu santo templo,
reduziram Jerusalém a ruínas.
²Deram os cadáveres dos teus servos
   às aves do céu por alimento,
a carne dos teus fiéis, aos animais selvagens.
³Derramaram o sangue deles como água
   ao redor de Jerusalém,
e não há ninguém para sepultá-los.
⁴Somos objeto de zombaria
   para os nossos vizinhos,
de riso e menosprezo
   para os que vivem ao nosso redor.

⁵Até quando, SENHOR?
Ficarás irado para sempre?
Arderá o teu ciúme como o fogo?
⁶Derrama a tua ira sobre as nações
   que não te reconhecem,
sobre os reinos
   que não invocam o teu nome,
⁷pois devoraram Jacó,
   deixando em ruínas a sua terra.
⁸Não cobres de nós
   as maldades dos nossos antepassados;
venha depressa ao nosso encontro
   a tua misericórdia,
pois estamos totalmente desanimados!
⁹Ajuda-nos, ó Deus, nosso Salvador,
   para a glória do teu nome;

livra-nos e perdoa os nossos pecados,
   por amor do teu nome.
¹⁰Por que as nações haverão de dizer:
   "Onde está o Deus deles?"
Diante dos nossos olhos, mostra às nações
   a tua vingança pelo sangue dos teus servos.
¹¹Cheguem à tua presença
   os gemidos dos prisioneiros.
Pela força do teu braço
   preserva os condenados à morte.

¹²Retribui sete vezes mais aos nossos vizinhos
   as afrontas com que te insultaram, Senhor!
¹³Então nós, o teu povo,
as ovelhas das tuas pastagens,
   para sempre te louvaremos;
de geração em geração
   cantaremos os teus louvores.

Salmo 80

Para o mestre de música. De acordo com a melodia Os Lírios da Aliança*. Salmo da família de Asafe.*

¹Escuta-nos, Pastor de Israel,
   tu, que conduzes José como um rebanho;
tu, que tens o teu trono sobre os querubins,
   manifesta o teu esplendor
²diante de Efraim, Benjamim e Manassés.
Desperta o teu poder, e vem salvar-nos!

³Restaura-nos, ó Deus!
Faze resplandecer sobre nós o teu rosto,[a]
   para que sejamos salvos.

⁴Ó Senhor, Deus dos Exércitos,
até quando arderá a tua ira
   contra as orações do teu povo?
⁵Tu o alimentaste com pão de lágrimas
e o fizeste beber copos de lágrimas.

---

[a] 80:3 Isto é, mostra-nos a tua bondade; também nos versículos 7 e 19.

⁶Fizeste de nós um motivo de disputas
   entre as nações vizinhas,
e os nossos inimigos caçoam de nós.

⁷Restaura-nos, ó Deus dos Exércitos;
faze resplandecer sobre nós o teu rosto,
   para que sejamos salvos.

⁸Do Egito trouxeste uma videira;
expulsaste as nações e a plantaste.
⁹Limpaste o terreno,
ela lançou raízes e encheu a terra.
¹⁰Os montes foram cobertos pela sua sombra,
e os mais altos cedros, pelos seus ramos.
¹¹Seus ramos se estenderam até o Mar[a],
e os seus brotos, até o Rio[b].

¹²Por que derrubaste as suas cercas,
   permitindo que todos os que passam
   apanhem as suas uvas?
¹³Javalis da floresta a devastam
e as criaturas do campo dela se alimentam.
¹⁴Volta-te para nós, ó Deus dos Exércitos!
Dos altos céus olha e vê!
Toma conta desta videira,
¹⁵da raiz que a tua mão direita plantou,
do filho[c] que para ti fizeste crescer!

¹⁶Tua videira foi derrubada;
   como lixo foi consumida pelo fogo.
Pela tua repreensão perece o teu povo![d]
¹⁷Repouse a tua mão sobre aquele
   que puseste à tua mão direita,
o filho do homem que para ti fizeste crescer.
¹⁸Então não nos desviaremos de ti;
vivifica-nos, e invocaremos o teu nome.
¹⁹Restaura-nos, ó Senhor, Deus dos Exércitos;
faze resplandecer sobre nós o teu rosto,
   para que sejamos salvos.

---

[a] **80:11** Isto é, o Mediterrâneo.
[b] **80:11** Isto é, o Eufrates.
[c] **80:15** Ou *ramo*
[d] **80:16** Ou *Pela tua repreensão faze perecer os que a derrubaram e a queimaram como lixo!*

Salmo 81

Para o mestre de música. De acordo com a melodia
Os Lagares. *Da família de Asafe.*

¹Cantem de alegria a Deus, nossa força;
aclamem o Deus de Jacó!
²Comecem o louvor, façam ressoar o tamborim,
toquem a lira e a harpa melodiosa.

³Toquem a trombeta na lua nova
e no dia de lua cheia, dia da nossa festa;
⁴porque este é um decreto para Israel,
uma ordenança do Deus de Jacó,
⁵que ele estabeleceu como estatuto para José,
  quando atacou o Egito.
Ali ouvimos uma língua[a] que não conhecíamos.

⁶Ele diz: "Tirei o peso dos seus ombros;
suas mãos ficaram livres dos cestos de cargas.
⁷Na sua aflição vocês clamaram e eu os livrei,
do esconderijo dos trovões lhes respondi;
eu os pus à prova nas águas de Meribá[b].

Pausa

⁸"Ouça, meu povo, as minhas advertências;
se tão somente você me escutasse, ó Israel!
⁹Não tenha deus estrangeiro no seu meio;
não se incline perante nenhum deus estranho.
¹⁰Eu sou o Senhor, o seu Deus,
  que o tirei da terra do Egito.
Abra a sua boca, e eu o alimentarei.

¹¹"Mas o meu povo não quis ouvir-me;
Israel não quis obedecer-me.
¹²Por isso os entreguei
  ao seu coração obstinado,
para seguirem os seus próprios planos.

¹³"Se o meu povo apenas me ouvisse,
se Israel seguisse os meus caminhos,

---
[a] **81:5** Ou *voz*
[b] **81:7** *Meribá* significa *rebelião*.

¹⁴com rapidez eu subjugaria os seus inimigos
e voltaria a minha mão
   contra os seus adversários!
¹⁵Os que odeiam o SENHOR
   se renderiam diante dele,
e receberiam um castigo perpétuo.
¹⁶Mas eu sustentaria Israel
   com o melhor trigo,
e com o mel da rocha eu o satisfaria".

Salmo 82

Para o mestre de música. Salmo da família de Asafe.

¹É Deus quem preside à assembleia divina;
no meio dos deuses, ele é o juiz.ª

²"Até quando vocês vão absolver os culpados
   e favorecer os ímpios?

Pausa

³"Garantam justiça para os fracos
   e para os órfãos;
mantenham os direitos dos necessitados
   e dos oprimidos.
⁴Livrem os fracos e os pobres;
libertem-nos das mãos dos ímpios.

⁵"Eles nada sabem, nada entendem.
   Vagueiam pelas trevas;
todos os fundamentos da terra estão abalados.

⁶"Eu disse: Vocês são deuses,
todos vocês são filhos do Altíssimo.
⁷Mas vocês morrerão como simples homens;
cairão como qualquer outro governante."

⁸Levanta-te, ó Deus, julga a terra,
pois todas as nações te pertencem.

ª **82:1** Ou *É Deus quem preside na suprema assembleia; no meio dos poderosos, ele é o juiz*; ou ainda *no meio dos juízes, ele é o juiz.*

Salmo 83

Uma canção. Salmo da família de Asafe.

¹Ó Deus, não te emudeças;
não fiques em silêncio nem te detenhas, ó Deus.
²Vê como se agitam os teus inimigos,
como os teus adversários
  te desafiam de cabeça erguida.
³Com astúcia conspiram contra o teu povo;
tramam contra aqueles
  que são o teu tesouro.
⁴Eles dizem: "Venham,
  vamos destruí-los como nação,
para que o nome de Israel
  não seja mais lembrado!"

⁵Com um só propósito tramam juntos;
é contra ti que fazem acordo
⁶as tendas de Edom e os ismaelitas,
Moabe e os hagarenos,
⁷Gebal[a], Amom e Amaleque,
a Filístia, com os habitantes de Tiro.
⁸Até a Assíria aliou-se a eles,
e trouxe força aos descendentes de Ló.

Pausa

⁹Trata-os como trataste Midiã,
como trataste Sísera e Jabim no rio Quisom,
¹⁰os quais morreram em En-Dor
e se tornaram esterco para a terra.
¹¹Faze com os seus nobres o que fizeste
  com Orebe e Zeebe,
e com todos os seus príncipes
  o que fizeste com Zeba e Zalmuna,
¹²que disseram:
  "Vamos apossar-nos das pastagens de Deus".

¹³Faze-os como folhas secas
  levadas no redemoinho, ó meu Deus,
como palha ao vento.

---
[a] **83:7** Isto é, Biblos.

¹⁴Assim como o fogo consome a floresta
e as chamas incendeiam os montes,
¹⁵persegue-os com o teu vendaval
e aterroriza-os com a tua tempestade.
¹⁶Cobre-lhes de vergonha o rosto
até que busquem o teu nome, Senhor.

¹⁷Sejam eles humilhados e aterrorizados
    para sempre;
pereçam em completa desgraça.
¹⁸Saibam eles que tu, cujo nome é Senhor,
somente tu, és o Altíssimo sobre toda a terra.

Salmo 84

Para o mestre de música. De acordo com a melodia
Os Lagares. Salmo dos coraítas.

¹Como é agradável o lugar da tua habitação,
    Senhor dos Exércitos!
²A minha alma anela, e até desfalece,
    pelos átrios do Senhor;
o meu coração e o meu corpo
    cantam de alegria ao Deus vivo.

³Até o pardal achou um lar,
    e a andorinha um ninho para si,
para abrigar os seus filhotes,
    um lugar perto do teu altar,
ó Senhor dos Exércitos, meu Rei e meu Deus.
⁴Como são felizes
    os que habitam em tua casa;
louvam-te sem cessar!

Pausa

⁵Como são felizes os que em ti
    encontram sua força,
e os que são peregrinos de coração!
⁶Ao passarem pelo vale de Baca[a],
    fazem dele um lugar de fontes;

---
[a] **84:6** Ou *de lágrimas*; ou ainda *seco*

as chuvas de outono
  também o enchem de cisternas[a].
⁷Prosseguem o caminho de força em força,
até que cada um se apresente a Deus em Sião.

⁸Ouve a minha oração,
  ó Senhor Deus dos Exércitos;
escuta-me, ó Deus de Jacó.

Pausa

⁹Olha, ó Deus, que és nosso escudo[b];
trata com bondade o teu ungido.
¹⁰Melhor é um dia nos teus átrios
  do que mil noutro lugar;
prefiro ficar à porta da casa do meu Deus
  a habitar nas tendas dos ímpios.
¹¹O Senhor Deus é sol e escudo;
o Senhor concede favor e honra;
não recusa nenhum bem
  aos que vivem com integridade.

¹²Ó Senhor dos Exércitos,
como é feliz aquele que em ti confia!

Salmo 85

Para o mestre de música. Salmo dos coraítas.

¹Foste favorável à tua terra, ó Senhor;
trouxeste restauração[c] a Jacó.
²Perdoaste a culpa do teu povo
e cobriste todos os seus pecados.

Pausa

³Retiraste todo o teu furor
e te afastaste da tua ira tremenda.

⁴Restaura-nos mais uma vez,
  ó Deus, nosso Salvador,
e desfaze o teu furor para conosco.

---
[a] **84:6** Ou *bênçãos*
[b] **84:9** Ou *soberano*
[c] **85:1** Ou *os cativos de volta*

⁵Ficarás indignado conosco para sempre?
Prolongarás a tua ira por todas as gerações?
⁶Acaso não nos renovarás a vida,
a fim de que o teu povo se alegre em ti?
⁷Mostra-nos o teu amor, ó Senhor,
e concede-nos a tua salvação!

⁸Eu ouvirei o que Deus, o Senhor, disse;
ele promete paz ao seu povo, aos seus fiéis!
Não voltem eles à insensatez!
⁹Perto está a salvação que ele trará
   aos que o temem,
e a sua glória habitará em nossa terra.

¹⁰O amor e a fidelidade se encontrarão;
a justiça e a paz se beijarão.
¹¹A fidelidade brotará da terra,
e a justiça descerá dos céus.
¹²O Senhor nos trará bênçãos,
e a nossa terra dará a sua colheita.
¹³A justiça irá adiante dele
e preparará o caminho para os seus passos.

Salmo 86

Oração davídica.

¹Inclina os teus ouvidos, ó Senhor,
   e responde-me,
pois sou pobre e necessitado.
²Guarda a minha vida, pois sou fiel a ti.
Tu és o meu Deus;
salva o teu servo que em ti confia!
³Misericórdia, Senhor,
pois clamo a ti sem cessar.
⁴Alegra o coração do teu servo,
pois a ti, Senhor, elevo a minha alma.
⁵Tu és bondoso e perdoador, Senhor,
rico em graça
   para com todos os que te invocam.

⁶Escuta a minha oração, Senhor;
atenta para a minha súplica!

⁷No dia da minha angústia clamarei a ti,
pois tu me responderás.

⁸Nenhum dos deuses é comparável a ti, Senhor,
nenhum deles pode fazer o que tu fazes.

⁹Todas as nações que tu formaste
  virão e te adorarão, Senhor,
e glorificarão o teu nome.
¹⁰Pois tu és grande
  e realizas feitos maravilhosos;
só tu és Deus!

¹¹Ensina-me o teu caminho, Senhor,
  para que eu ande na tua verdade;
dá-me um coração inteiramente fiel,
  para que eu tema o teu nome.
¹²De todo o meu coração te louvarei,
  Senhor, meu Deus;
glorificarei o teu nome para sempre.
¹³Pois grande é o teu amor para comigo;
tu me livraste das profundezas do Sheol[a].

¹⁴Os arrogantes estão me atacando, ó Deus;
  um bando de homens cruéis,
gente que não faz caso de ti
  procura tirar-me a vida.
¹⁵Mas tu, Senhor,
  és Deus compassivo e misericordioso,
muito paciente, rico em amor e em fidelidade.
¹⁶Volta-te para mim! Tem misericórdia de mim!
Concede a tua força a teu servo
  e salva o filho da tua serva[b].
¹⁷Dá-me um sinal da tua bondade,
para que os meus inimigos vejam
  e sejam humilhados,
pois tu, Senhor, me ajudaste e me consolaste.

---

[a] **86:13** Essa palavra pode ser traduzida por sepultura, profundezas, pó ou morte.
[b] **86:16** Ou *salva o teu filho fiel*

Salmo 87

Dos coraítas. Um salmo. Um cântico.

¹O Senhor edificou sua cidade sobre o monte santo;
²ele ama as portas de Sião
  mais do que qualquer outro lugar[a] de Jacó.
³Coisas gloriosas são ditas de ti,
  ó cidade de Deus!

Pausa

⁴"Entre os que me reconhecem
  incluirei Raabe[b] e Babilônia,
além da Filístia, de Tiro,
  e também da Etiópia[c],
como se tivessem nascido em Sião[d]."

⁵De fato, acerca de Sião se dirá:
  "Todos estes nasceram em Sião,
e o próprio Altíssimo a estabelecerá".
⁶O Senhor escreverá no registro dos povos:
  "Este nasceu ali".

Pausa

⁷Com danças e cânticos, dirão:
  "Em Sião estão as nossas origens[e]!"

Salmo 88

Um cântico. Salmo dos coraítas. Para o mestre de música.
Conforme mahalath leannoth[f]. *Poema do ezraíta Hemã.*

¹Ó Senhor, Deus que me salva,
a ti clamo dia e noite.
²Que a minha oração chegue diante de ti;
inclina os teus ouvidos ao meu clamor.
³Tenho sofrido tanto que a minha vida
  está à beira da sepultura[g]!

---

[a] **87:2** Ou *santuário*
[b] **87:4** Isto é, o Egito.
[c] **87:4** Hebraico: *Cuxe*.
[d] **87:4** Hebraico: *este nasceu ali*.
[e] **87:7** Ou *está a nossa fonte de felicidade*
[f] Título: Possivelmente a melodia *O Sofrimento do Aflito*.
[g] **88:3** Hebraico: *Sheol*. Essa palavra também pode ser traduzida por profundezas, pó ou morte.

⁴Sou contado entre os que descem à cova;
sou como um homem que já não tem forças.
⁵Fui colocado junto aos mortos,
sou como os cadáveres que jazem no túmulo,
dos quais já não te lembras,
  pois foram tirados de tua mão.

⁶Puseste-me na cova mais profunda,
na escuridão das profundezas.
⁷Tua ira pesa sobre mim;
com todas as tuas ondas me afligiste.

Pausa

⁸Afastaste de mim os meus melhores amigos
  e me tornaste repugnante para eles.
Estou como um preso que não pode fugir;
⁹minhas vistas já estão fracas de tristeza.

A ti, Senhor, clamo cada dia;
  a ti ergo as minhas mãos.
¹⁰Acaso mostras as tuas maravilhas aos mortos?
Acaso os mortos se levantam
  e te louvam?

Pausa

¹¹Será que o teu amor é anunciado no túmulo,
e a tua fidelidade, no Abismo da Morte[a]?
¹²Acaso são conhecidas as tuas maravilhas
  na região das trevas,
e os teus feitos de justiça,
  na terra do esquecimento?

¹³Mas eu, Senhor, a ti clamo por socorro;
já de manhã a minha oração
  chega à tua presença.
¹⁴Por que, Senhor, me rejeitas
e escondes de mim o teu rosto?

¹⁵Desde moço tenho sofrido
  e ando perto da morte;
os teus terrores levaram-me ao desespero.
¹⁶Sobre mim se abateu a tua ira;
os pavores que me causas me destruíram.

---
[a] **88:11** Hebraico: *Abadom*.

¹⁷Cercam-me o dia todo como uma inundação;
envolvem-me por completo.
¹⁸Tiraste de mim os meus amigos
   e os meus companheiros;
as trevas são a minha única companhia.

Salmo 89

Poema do ezraíta Etã.

¹Cantarei para sempre o amor do Senhor;
com minha boca anunciarei
   a tua fidelidade por todas as gerações.
²Sei que firme está o teu amor para sempre,
e que firmaste nos céus a tua fidelidade.

³Tu disseste: "Fiz aliança com o meu escolhido,
   jurei ao meu servo Davi:
⁴Estabelecerei a tua linhagem para sempre
e firmarei o teu trono
   por todas as gerações".

Pausa

⁵Os céus louvam as tuas maravilhas, Senhor,
e a tua fidelidade na assembleia dos santos.
⁶Pois, quem nos céus
   poderá comparar-se ao Senhor?
Quem dentre os seres celestiais[a]
   assemelha-se ao Senhor?
⁷Na assembleia dos santos Deus é temível,
mais do que todos os que o rodeiam.
⁸Ó Senhor, Deus dos Exércitos,
quem é semelhante a ti?
És poderoso, Senhor,
envolto em tua fidelidade.

⁹Tu dominas o revolto mar;
quando se agigantam as suas ondas,
   tu as acalmas.

---
[a] **89:6** Ou *deuses*; ou ainda *poderosos*

¹⁰Esmagaste e mataste o Monstro dos Mares[a];
com teu braço forte
   dispersaste os teus inimigos.
¹¹Os céus são teus, e tua também é a terra;
fundaste o mundo e tudo o que nele existe.
¹²Tu criaste o Norte e o Sul;
o Tabor e o Hermom
   cantam de alegria pelo teu nome.
¹³O teu braço é poderoso;
a tua mão é forte, exaltada é tua mão direita.

¹⁴A retidão e a justiça são os alicerces
   do teu trono;
o amor e a fidelidade vão à tua frente.
¹⁵Como é feliz o povo
   que aprendeu a aclamar-te, Senhor,
e que anda na luz da tua presença!
¹⁶Sem cessar exultam no teu nome,
   e alegram-se na tua retidão,
¹⁷pois tu és a nossa glória e a nossa força[b],
   e pelo teu favor exaltas a nossa força[c].
¹⁸Sim, Senhor, tu és o nosso escudo[d],
   ó Santo de Israel, tu és o nosso rei.

¹⁹Numa visão falaste um dia,
e aos teus fiéis disseste:
"Cobri de forças um guerreiro,
exaltei um homem escolhido dentre o povo.
²⁰Encontrei o meu servo Davi;
ungi-o com o meu óleo sagrado.
²¹A minha mão o susterá,
e o meu braço o fará forte.
²²Nenhum inimigo o sujeitará a tributos;
nenhum injusto o oprimirá.
²³Esmagarei diante dele os seus adversários
e destruirei os seus inimigos.

---

[a] **89:10** Hebraico: *Raabe*.
[b] **89:17** Hebraico: *a glória do seu poder*.
[c] **89:17** Hebraico: *chifre*; também no versículo 24.
[d] **89:18** Ou *soberano*

²⁴A minha fidelidade e o meu amor
  o acompanharão,
e pelo meu nome aumentará o seu poder.
²⁵A sua mão dominará até o mar,
  sua mão direita, até os rios.
²⁶Ele me dirá: 'Tu és o meu Pai,
  o meu Deus, a Rocha que me salva'.
²⁷Também o nomearei meu primogênito,
o mais exaltado dos reis da terra.
²⁸Manterei o meu amor por ele para sempre,
  e a minha aliança com ele jamais se quebrará.
²⁹Firmarei a sua linhagem para sempre,
  e o seu trono durará enquanto existirem céus.

³⁰"Se os seus filhos abandonarem a minha lei
  e não seguirem as minhas ordenanças,
³¹se violarem os meus decretos
  e deixarem de obedecer aos meus mandamentos,
³²com a vara castigarei o seu pecado,
  e a sua iniquidade com açoites;
³³mas não afastarei dele o meu amor;
  jamais desistirei da minha fidelidade.
³⁴Não violarei a minha aliança
  nem modificarei as promessas dos meus lábios.
³⁵De uma vez para sempre jurei
  pela minha santidade,
  e não mentirei a Davi,
³⁶que a sua linhagem permanecerá para sempre,
  e o seu trono durará como o sol;
³⁷será estabelecido para sempre como a lua,
  a fiel testemunha no céu".

Pausa

³⁸Mas tu o rejeitaste, recusaste-o
e te enfureceste com o teu ungido.
³⁹Revogaste a aliança com o teu servo
e desonraste a sua coroa, lançando-a ao chão.
⁴⁰Derrubaste todos os seus muros
e reduziste a ruínas as suas fortalezas.
⁴¹Todos os que passam o saqueiam;

tornou-se objeto de zombaria
    para os seus vizinhos.
⁴²Tu exaltaste a mão direita dos seus adversários
e encheste de alegria todos os seus inimigos.
⁴³Tiraste o fio da sua espada
e não o apoiaste na batalha.
⁴⁴Deste fim ao seu esplendor
e atiraste ao chão o seu trono.
⁴⁵Encurtaste os dias da sua juventude;
com um manto de vergonha o cobriste.

Pausa

⁴⁶Até quando, SENHOR?
Para sempre te esconderás?
Até quando a tua ira queimará como fogo?
⁴⁷Lembra-te de como é passageira a minha vida.
Terás criado em vão todos os homens?
⁴⁸Que homem pode viver e não ver a morte,
ou livrar-se do poder da sepultura[a]?

Pausa

⁴⁹Ó Senhor, onde está o teu antigo amor,
que com fidelidade juraste a Davi?
⁵⁰Lembra-te, Senhor,
    das afrontas que o teu servo tem[b] sofrido,
das zombarias que no íntimo
    tenho que suportar de todos os povos,
⁵¹das zombarias dos teus inimigos, SENHOR,
com que afrontam a cada passo o teu ungido.

⁵²Bendito seja o SENHOR para sempre!
    Amém e amém.

---

[a] **89:48** Hebraico: *Sheol*. Essa palavra também pode ser traduzida por profundezas, pó ou morte.
[b] **89:50** Ou *teus servos têm*

QUARTO LIVRO

Salmo 90

Oração de Moisés, homem de Deus.

¹Senhor, tu és o nosso refúgio, sempre,
   de geração em geração.
²Antes de nascerem os montes
   e de criares a terra e o mundo,
de eternidade a eternidade tu és Deus.

³Fazes os homens voltarem ao pó,
   dizendo: "Retornem ao pó, seres humanos!"
⁴De fato, mil anos para ti
   são como o dia de ontem que passou,
como as horas da noite.
⁵Como uma correnteza, tu arrastas os homens;
são breves como o sono;
são como a relva que brota ao amanhecer;
⁶germina e brota pela manhã,
mas, à tarde, murcha e seca.

⁷Somos consumidos pela tua ira
e aterrorizados pelo teu furor.
⁸Conheces as nossas iniquidades;
não escapam os nossos pecados secretos
   à luz da tua presença.
⁹Todos os nossos dias passam
   debaixo do teu furor;
vão-se como um murmúrio.
¹⁰Os anos de nossa vida chegam a setenta,
ou a oitenta para os que têm mais vigor;
entretanto, são anos difíceis
   e cheios de sofrimento,
pois a vida passa depressa,
   e nós voamos!

¹¹Quem conhece o poder da tua ira?
Pois o teu furor é tão grande
   como o temor que te é devido.

¹²Ensina-nos a contar os nossos dias
para que o nosso coração alcance sabedoria.

¹³Volta-te, Senhor! Até quando será assim?
Tem compaixão dos teus servos!
¹⁴Satisfaze-nos pela manhã
　com o teu amor leal,
e todos os nossos dias cantaremos felizes.
¹⁵Dá-nos alegria pelo tempo que nos afligiste,
pelos anos em que tanto sofremos.
¹⁶Sejam manifestos os teus feitos
　aos teus servos,
e aos filhos deles o teu esplendor!

¹⁷Esteja sobre nós a bondade
　do nosso Deus Soberano.
Consolida, para nós,
　a obra de nossas mãos;
consolida a obra de nossas mãos!

Salmo 91

¹Aquele que habita no abrigo do Altíssimo
e descansa à sombra do Todo-poderoso
²pode dizer ao[a] Senhor:
"Tu és o meu refúgio e a minha fortaleza,
　o meu Deus, em quem confio".

³Ele o livrará do laço do caçador
　e do veneno mortal[b].
⁴Ele o cobrirá com as suas penas,
　e sob as suas asas você encontrará refúgio;
a fidelidade dele será o seu escudo protetor.
⁵Você não temerá o pavor da noite,
　nem a flecha que voa de dia,
⁶nem a peste que se move sorrateira
　nas trevas,
　nem a praga que devasta ao meio-dia.

---
[a] **91:2** Conforme a Septuaginta. O Texto Massorético diz *Direi do*.
[b] **91:3** Ou *da praga mortal*; ou ainda *da ameaça de destruição*

⁷Mil poderão cair ao seu lado,
dez mil à sua direita,
    mas nada o atingirá.
⁸Você simplesmente olhará,
e verá o castigo dos ímpios.

⁹Se você fizer do Altíssimo o seu abrigo,
do Senhor o seu refúgio,
¹⁰nenhum mal o atingirá,
desgraça alguma chegará à sua tenda.
¹¹Porque a seus anjos ele dará ordens
    a seu respeito,
para que o protejam em todos
    os seus caminhos;
¹²com as mãos eles o segurarão,
para que você não tropece em alguma pedra.
¹³Você pisará o leão e a cobra;
pisoteará o leão forte e a serpente.

¹⁴"Porque ele me ama, eu o resgatarei;
eu o protegerei, pois conhece o meu nome.
¹⁵Ele clamará a mim, e eu lhe darei resposta,
e na adversidade estarei com ele;
vou livrá-lo e cobri-lo de honra.
¹⁶Vida longa eu lhe darei,
    e lhe mostrarei a minha salvação."

Salmo 92

Salmo. Um cântico. Para o dia de sábado.

¹Como é bom render graças ao Senhor
e cantar louvores ao teu nome, ó Altíssimo,
²anunciar de manhã o teu amor leal
e de noite a tua fidelidade,
³ao som da lira de dez cordas e da cítara,
e da melodia da harpa.

⁴Tu me alegras, Senhor, com os teus feitos;
as obras das tuas mãos
    levam-me a cantar de alegria.

⁵Como são grandes as tuas obras, Senhor,
como são profundos os teus propósitos!
⁶O insensato não entende, o tolo não vê
⁷que, embora os ímpios brotem como a erva
    e floresçam todos os malfeitores,
eles serão destruídos para sempre.
⁸Pois tu, Senhor, és exaltado para sempre.

⁹Mas os teus inimigos, Senhor,
os teus inimigos perecerão;
serão dispersos todos os malfeitores!
¹⁰Tu aumentaste a minha força[a]
    como a do boi selvagem;
derramaste sobre mim óleo novo.[b]
¹¹Os meus olhos contemplaram a derrota
    dos meus inimigos;
os meus ouvidos escutaram a debandada
    dos meus maldosos agressores.

¹²Os justos florescerão como a palmeira,
crescerão como o cedro do Líbano;
¹³plantados na casa do Senhor,
florescerão nos átrios do nosso Deus.
¹⁴Mesmo na velhice darão fruto,
permanecerão viçosos e verdejantes,
¹⁵para proclamar que o Senhor é justo.
Ele é a minha Rocha;
    nele não há injustiça.

Salmo 93

¹O Senhor reina!
    Vestiu-se de majestade;
de majestade vestiu-se o Senhor
    e armou-se de poder!
O mundo está firme e não se abalará.

---
[a] **92:10** Hebraico: *chifre*.
[b] **92:10** Ou *exaltaste a minha velhice com óleo novo*.

²O teu trono está firme desde a antiguidade;
tu existes desde a eternidade.
³As águas se levantaram, Senhor,
as águas levantaram a voz;
as águas levantaram seu bramido.
⁴Mais poderoso do que o estrondo
  das águas impetuosas,
mais poderoso do que as ondas do mar
  é o Senhor nas alturas.

⁵Os teus mandamentos
  permanecem firmes e fiéis;
a santidade, Senhor,
  é o ornamento perpétuo da tua casa.

Salmo 94

¹Ó Senhor, Deus vingador;
Deus vingador! Intervém![a]
²Levanta-te, Juiz da terra;
retribui aos orgulhosos o que merecem.
³Até quando os ímpios, Senhor,
até quando os ímpios exultarão?

⁴Eles despejam palavras arrogantes;
todos esses malfeitores enchem-se de vanglória.
⁵Massacram o teu povo, Senhor,
e oprimem a tua herança;
⁶matam as viúvas e os estrangeiros,
assassinam os órfãos,
⁷e ainda dizem: "O Senhor não nos vê;
o Deus de Jacó nada percebe".

⁸Insensatos, procurem entender!
E vocês, tolos, quando se tornarão sábios?
⁹Será que quem fez o ouvido não ouve?
Será que quem formou o olho não vê?
¹⁰Aquele que disciplina as nações
  os deixará sem castigo?

---

[a] **94:1** Hebraico: *Resplandece*!

Não tem sabedoria aquele
   que dá ao homem o conhecimento?
¹¹O Senhor conhece
   os pensamentos do homem,
e sabe como são fúteis.

¹²Como é feliz o homem a quem disciplinas,
   Senhor,
aquele a quem ensinas a tua lei;
¹³tranquilo, enfrentará os dias maus,
enquanto que, para os ímpios,
   uma cova se abrirá.
¹⁴O Senhor não desamparará o seu povo;
jamais abandonará a sua herança.
¹⁵Voltará a haver justiça nos julgamentos,
e todos os retos de coração a seguirão.

¹⁶Quem se levantará a meu favor
   contra os ímpios?
Quem ficará a meu lado contra os malfeitores?
¹⁷Não fosse a ajuda do Senhor,
eu já estaria habitando no silêncio.
¹⁸Quando eu disse:
   Os meus pés escorregaram,
o teu amor leal, Senhor, me amparou!
¹⁹Quando a ansiedade
   já me dominava no íntimo,
o teu consolo trouxe alívio à minha alma.
²⁰Poderá um trono corrupto
   estar em aliança contigo?,
um trono que faz injustiças em nome da lei?
²¹Eles planejam contra a vida dos justos
e condenam os inocentes à morte.
²²Mas o Senhor é a minha torre segura;
o meu Deus é a rocha em que encontro refúgio.
²³Deus fará cair sobre eles os seus crimes,
e os destruirá por causa dos seus pecados;
   o Senhor, o nosso Deus, os destruirá!

Salmo 95

¹Venham! Cantemos ao Senhor com alegria!
Aclamemos a Rocha da nossa salvação.
²Vamos à presença dele com ações de graças;
vamos aclamá-lo com cânticos de louvor.
³Pois o Senhor é o grande Deus,
o grande Rei acima de todos os deuses.
⁴Nas suas mãos estão as profundezas da terra,
os cumes dos montes lhe pertencem.
⁵Dele também é o mar, pois ele o fez;
as suas mãos formaram a terra seca.

⁶Venham! Adoremos prostrados
  e ajoelhemos diante do Senhor,
  o nosso Criador;
⁷pois ele é o nosso Deus,
e nós somos o povo do seu pastoreio,
o rebanho que ele conduz.

Hoje, se vocês ouvirem a sua voz,
⁸não endureçam o coração, como em Meribá[a],
como aquele dia em Massá[b], no deserto,
⁹onde os seus antepassados me tentaram,
  pondo-me à prova,
apesar de terem visto o que eu fiz.
¹⁰Durante quarenta anos
fiquei irado contra aquela geração e disse:
Eles são um povo de coração ingrato;
não reconheceram os meus caminhos.
¹¹Por isso jurei na minha ira:
Jamais entrarão no meu descanso.

Salmo 96

¹Cantem ao Senhor um novo cântico;
cantem ao Senhor, todos os habitantes da terra!
²Cantem ao Senhor, bendigam o seu nome;
cada dia proclamem a sua salvação!

---

[a] **95:8** *Meribá* significa *rebelião*.
[b] **95:8** *Massá* significa *provação*.

³Anunciem a sua glória entre as nações,
seus feitos maravilhosos entre todos os povos!

⁴Porque o Senhor é grande
  e digno de todo louvor,
mais temível do que todos os deuses!
⁵Todos os deuses das nações
  não passam de ídolos,
mas o Senhor fez os céus.
⁶Majestade e esplendor estão diante dele,
poder e dignidade, no seu santuário.

⁷Deem ao Senhor, ó famílias das nações,
  deem ao Senhor glória e força.
⁸Deem ao Senhor
  a glória devida ao seu nome,
e entrem nos seus átrios trazendo ofertas.
⁹Adorem o Senhor
  no esplendor da sua santidade;
tremam diante dele todos os habitantes da terra.

¹⁰Digam entre as nações: "O Senhor reina!"
Por isso firme está o mundo, e não se abalará,
e ele julgará os povos com justiça.
¹¹Regozijem-se os céus e exulte a terra!
Ressoe o mar e tudo o que nele existe!
¹²Regozijem-se os campos
  e tudo o que neles há!
Cantem de alegria todas as árvores da floresta,
¹³cantem diante do Senhor, porque ele vem,
  vem julgar a terra;
julgará o mundo com justiça
  e os povos, com a sua fidelidade!

Salmo 97

¹O Senhor reina!
Exulte a terra
e alegrem-se as regiões costeiras distantes.

²Nuvens escuras e espessas o cercam;
retidão e justiça são a base do seu trono.

³Fogo vai adiante dele
e devora os adversários ao redor.
⁴Seus relâmpagos iluminam o mundo;
a terra os vê e estremece.
⁵Os montes se derretem como cera
   diante do Senhor,
diante do Soberano de toda a terra.
⁶Os céus proclamam a sua justiça,
e todos os povos contemplam a sua glória.

⁷Ficam decepcionados
   todos os que adoram imagens
   e se vangloriam de ídolos.
Prostram-se diante dele todos os deuses!

⁸Sião ouve e se alegra,
   e as cidades[a] de Judá exultam,
por causa das tuas sentenças, Senhor.
⁹Pois tu, Senhor,
   és o Altíssimo sobre toda a terra!
És exaltado muito acima de todos os deuses!

¹⁰Odeiem o mal, vocês que amam o Senhor,
pois ele protege a vida dos seus fiéis
e os livra das mãos dos ímpios.
¹¹A luz nasce[b] sobre o justo
e a alegria sobre os retos de coração.
¹²Alegrem-se no Senhor, justos,
e louvem o seu santo nome.

Salmo 98

Salmo.

¹Cantem ao Senhor um novo cântico,
   pois ele fez coisas maravilhosas;
a sua mão direita e o seu braço santo
   lhe deram a vitória!

---
[a] **97:8** Hebraico: *filhas*.
[b] **97:11** Conforme a Septuaginta e algumas versões antigas. O Texto Massorético diz *A luz é semeada*.

²O Senhor anunciou a sua vitória
e revelou a sua justiça às nações.
³Ele se lembrou do seu amor leal
  e da sua fidelidade para com a casa de Israel;
todos os confins da terra viram
  a vitória do nosso Deus.

⁴Aclamem o Senhor
  todos os habitantes da terra!
Louvem-no com cânticos de alegria
  e ao som de música!
⁵Ofereçam música ao Senhor com a harpa,
  com a harpa e ao som de canções,
⁶com cornetas e ao som da trombeta;
exultem diante do Senhor, o Rei!

⁷Ressoe o mar e tudo o que nele existe,
o mundo e os seus habitantes!
⁸Batam palmas os rios,
  e juntos cantem de alegria os montes;
⁹cantem diante do Senhor, porque ele vem,
  vem julgar a terra;
julgará o mundo com justiça
  e os povos, com retidão.

Salmo 99

¹O Senhor reina! As nações tremem!
O seu trono está sobre os querubins!
  Abala-se a terra!
²Grande é o Senhor em Sião;
ele é exaltado acima de todas as nações!
³Seja louvado o teu grande e temível nome,
  que é santo.
⁴Rei poderoso, amigo da justiça!ᵃ
Estabeleceste a equidade
e fizeste em Jacó o que é direito e justo.
⁵Exaltem o Senhor, o nosso Deus,
prostrem-se diante do estrado dos seus pés.
  Ele é santo!

ᵃ **99:4** Ou *O rei é poderoso e ama a justiça.*

⁶Moisés e Arão estavam
   entre os seus sacerdotes,
Samuel, entre os que invocavam o seu nome;
eles clamavam pelo Senhor,
   e ele lhes respondia.
⁷Falava-lhes da coluna de nuvem,
e eles obedeciam aos seus mandamentos
   e aos decretos que ele lhes dava.

⁸Tu lhes respondeste, Senhor, nosso Deus;
para eles, tu eras um Deus perdoador,
embora os tenhas castigado
   por suas rebeliões.
⁹Exaltem o Senhor, o nosso Deus;
prostrem-se, voltados para o seu santo monte,
porque o Senhor, o nosso Deus, é santo.

Salmo 100

Salmo. Para ação de graças.

¹Aclamem o Senhor
   todos os habitantes da terra!
²Prestem culto ao Senhor com alegria;
entrem na sua presença
   com cânticos alegres.
³Reconheçam que o Senhor é o nosso Deus.
Ele nos fez e somos dele[a]:
somos o seu povo,
   e rebanho do seu pastoreio.

⁴Entrem por suas portas com ações de graças,
   e em seus átrios, com louvor;
deem-lhe graças e bendigam o seu nome.
⁵Pois o Senhor é bom
   e o seu amor leal é eterno;
a sua fidelidade permanece
   por todas as gerações.

---

[a] **100:3** Ou *e não nós mesmos*

Salmo 101

Salmo davídico.

¹Cantarei a lealdade e a justiça.
A ti, Senhor, cantarei louvores!
²Seguirei o caminho da integridade;
quando virás ao meu encontro?
Em minha casa viverei de coração íntegro.
³Repudiarei todo mal.

Odeio a conduta dos infiéis;
jamais me dominará!
⁴Longe estou dos perversos de coração;
não quero envolver-me com o mal.

⁵Farei calar ao que difama o próximo às ocultas.
Não vou tolerar o homem de olhos arrogantes
   e de coração orgulhoso.

⁶Meus olhos aprovam os fiéis da terra,
   e eles habitarão comigo.
Somente quem tem vida íntegra me servirá.

⁷Quem pratica a fraude
   não habitará no meu santuário;
o mentiroso não permanecerá
   na minha presença.
⁸Cada manhã fiz calar
   todos os ímpios desta terra;
eliminei todos os malfeitores
   da cidade do Senhor.

Salmo 102

*Oração de um aflito que, quase desfalecido, derrama
o seu lamento diante do Senhor.*

¹Ouve a minha oração, Senhor!
Chegue a ti o meu grito de socorro!
²Não escondas de mim o teu rosto
   quando estou atribulado.
Inclina para mim os teus ouvidos;
quando eu clamar, responde-me depressa!

³Esvaem-se os meus dias como fumaça;
meus ossos queimam como brasas vivas.
⁴Como a relva ressequida está o meu coração;
esqueço até de comer!
⁵De tanto gemer estou reduzido a pele e osso.
⁶Sou como a coruja do deserto[a],
como uma coruja entre as ruínas.
⁷Não consigo dormir;
pareço um pássaro solitário no telhado.
⁸Os meus inimigos zombam de mim
   o tempo todo;
os que me insultam usam o meu nome
   para lançar maldições.
⁹Cinzas são a minha comida,
e com lágrimas misturo o que bebo,
¹⁰por causa da tua indignação e da tua ira,
pois me rejeitaste e me expulsaste
   para longe de ti.
¹¹Meus dias são como sombras crescentes;
sou como a relva que vai murchando.

¹²Tu, porém, Senhor,
   no trono reinarás para sempre;
o teu nome será lembrado
   de geração em geração.
¹³Tu te levantarás e terás misericórdia de Sião,
   pois é hora de lhe mostrares compaixão;
o tempo certo é chegado.
¹⁴Pois as suas pedras são amadas
   pelos teus servos,
as suas ruínas os enchem de compaixão.
¹⁵Então as nações temerão o nome do Senhor,
e todos os reis da terra a sua glória.
¹⁶Porque o Senhor reconstruirá Sião
e se manifestará na glória que ele tem.
¹⁷Responderá à oração dos desamparados;
as suas súplicas não desprezará.

¹⁸Escreva-se isto para as futuras gerações,
e um povo que ainda será criado

---

[a] **102:6** Ou *pelicano*

louvará o Senhor, proclamando:
¹⁹"Do seu santuário nas alturas o Senhor olhou;
dos céus observou a terra,
²⁰para ouvir os gemidos dos prisioneiros
e libertar os condenados à morte".
²¹Assim o nome do Senhor
será anunciado em Sião
e o seu louvor, em Jerusalém,
²²quando os povos e os reinos
se reunirem para adorar o Senhor.

²³No meio da minha vida
ele me abateu com sua força;
abreviou os meus dias.
²⁴Então pedi:
Ó meu Deus, não me leves
no meio dos meus dias.
Os teus dias duram por todas as gerações!
²⁵No princípio firmaste os fundamentos da terra,
e os céus são obras das tuas mãos.
²⁶Eles perecerão, mas tu permanecerás;
envelhecerão como vestimentas.
Como roupas tu os trocarás
e serão jogados fora.
²⁷Mas tu permaneces o mesmo,
e os teus dias jamais terão fim.
²⁸Os filhos dos teus servos
terão uma habitação;
os seus descendentes serão estabelecidos
na tua presença.

Salmo 103

Davídico.

¹Bendiga o Senhor a minha alma!
Bendiga o Senhor todo o meu ser!
²Bendiga o Senhor a minha alma!
Não esqueça nenhuma de suas bênçãos!
³É ele que perdoa todos os seus pecados
e cura todas as suas doenças,

⁴que resgata a sua vida da sepultura
e o coroa de bondade e compaixão,
⁵que enche de bens a sua existência,
   de modo que a sua juventude
   se renova como a águia.
⁶O Senhor faz justiça
e defende a causa dos oprimidos.
⁷Ele manifestou os seus caminhos a Moisés,
os seus feitos aos israelitas.
⁸O Senhor é compassivo e misericordioso,
mui paciente e cheio de amor.
⁹Não acusa sem cessar
nem fica ressentido para sempre;
¹⁰não nos trata conforme os nossos pecados
nem nos retribui conforme as nossas iniquidades.
¹¹Pois como os céus se elevam acima da terra,
assim é grande o seu amor
   para com os que o temem;
¹²e como o Oriente está longe do Ocidente,
assim ele afasta para longe de nós
   as nossas transgressões.
¹³Como um pai tem compaixão de seus filhos,
assim o Senhor
   tem compaixão dos que o temem;
¹⁴pois ele sabe do que somos formados;
lembra-se de que somos pó.
¹⁵A vida do homem é semelhante à relva;
   ele floresce como a flor do campo,
¹⁶que se vai quando sopra o vento
e nem se sabe mais o lugar que ocupava.
¹⁷Mas o amor leal do Senhor,
o seu amor eterno, está com os que o temem,
e a sua justiça com os filhos dos seus filhos,
¹⁸com os que guardam a sua aliança
e se lembram de obedecer aos seus preceitos.

¹⁹O Senhor estabeleceu o seu trono nos céus,
e como rei domina sobre tudo o que existe.
²⁰Bendigam o Senhor,
   vocês, seus anjos poderosos,

que obedecem à sua palavra.
²¹Bendigam o SENHOR todos os seus exércitos,
vocês, seus servos, que cumprem a sua vontade.
²²Bendigam o SENHOR todas as suas obras
em todos os lugares do seu domínio.

Bendiga o SENHOR a minha alma!

Salmo 104

¹Bendiga o SENHOR a minha alma!

Ó SENHOR, meu Deus, tu és tão grandioso!
Estás vestido de majestade e esplendor!
²Envolto em luz como numa veste,
ele estende os céus como uma tenda,
³e põe sobre as águas dos céus
as vigas dos seus aposentos.
Faz das nuvens a sua carruagem
e cavalga nas asas do vento.
⁴Faz dos ventos seus mensageiros[a]
e dos clarões reluzentes seus servos.

⁵Firmaste a terra sobre os seus fundamentos
para que jamais se abale;
⁶com as torrentes do abismo a cobriste,
como se fossem uma veste;
as águas subiram acima dos montes.
⁷Diante das tuas ameaças as águas fugiram,
puseram-se em fuga ao som do teu trovão;
⁸subiram pelos montes
e escorreram pelos vales,
para os lugares que tu lhes designaste.
⁹Estabeleceste um limite
que não podem ultrapassar;
jamais tornarão a cobrir a terra.

¹⁰Fazes jorrar as nascentes nos vales
e correrem as águas entre os montes;
¹¹delas bebem todos os animais selvagens,
e os jumentos selvagens saciam a sua sede.

---
[a] 104:4 Ou *anjos*

¹²As aves do céu fazem ninho junto às águas
e entre os galhos põem-se a cantar.
¹³Dos teus aposentos celestes
   regas os montes;
sacia-se a terra com o fruto das tuas obras!
¹⁴É o Senhor que faz crescer o pasto para o gado,
e as plantas que o homem cultiva,
   para da terra tirar o alimento:
¹⁵o vinho, que alegra o coração do homem;
o azeite, que lhe faz brilhar o rosto,
e o pão que sustenta o seu vigor.
¹⁶As árvores do Senhor são bem regadas,
os cedros do Líbano que ele plantou;
¹⁷nelas os pássaros fazem ninho,
e nos pinheiros a cegonha tem o seu lar.
¹⁸Os montes elevados pertencem
   aos bodes selvagens,
e os penhascos são um refúgio para os coelhos.

¹⁹Ele fez a lua para marcar estações;
o sol sabe quando deve se pôr.
²⁰Trazes trevas, e cai a noite,
quando os animais da floresta vagueiam.
²¹Os leões rugem à procura da presa,
buscando de Deus o alimento,
²²mas ao nascer do sol eles se vão
e voltam a deitar-se em suas tocas.
²³Então o homem sai para o seu trabalho,
para o seu labor até o entardecer.

²⁴Quantas são as tuas obras, Senhor!
Fizeste todas elas com sabedoria!
A terra está cheia de seres que criaste.
²⁵Eis o mar, imenso e vasto.
Nele vivem inúmeras criaturas,
seres vivos, pequenos e grandes.
²⁶Nele passam os navios,
   e também o Leviatã[a],
que formaste para com ele[b] brincar.

---
[a] **104:26** Ou *monstro marinho*
[b] **104:26** Ou *para nele*

²⁷Todos eles dirigem seu olhar a ti,
esperando que lhes dês o alimento no tempo certo;
²⁸tu lhes dás, e eles o recolhem,
abres a tua mão, e saciam-se de coisas boas.
²⁹Quando escondes o rosto,
   entram em pânico;
quando lhes retiras o fôlego,
   morrem e voltam ao pó.
³⁰Quando sopras o teu fôlego,
   eles são criados,
e renovas a face da terra.

³¹Perdure para sempre a glória do Senhor!
Alegre-se o Senhor em seus feitos!
³²Ele olha para a terra, e ela treme,
toca os montes, e eles fumegam.

³³Cantarei ao Senhor toda a minha vida;
louvarei ao meu Deus enquanto eu viver.
³⁴Seja-lhe agradável a minha meditação,
pois no Senhor tenho alegria.
³⁵Sejam os pecadores eliminados da terra
e deixem de existir os ímpios.

Bendiga o Senhor a minha alma!

Aleluia![a]

Salmo 105

¹Deem graças ao Senhor,
proclamem o seu nome;
divulguem os seus feitos entre as nações.
²Cantem para ele e louvem-no;
relatem todas as suas maravilhas.
³Gloriem-se no seu santo nome;
alegre-se o coração dos
   que buscam o Senhor.
⁴Recorram ao Senhor e ao seu poder;
busquem sempre a sua presença.

---

[a] 104:35 Ou *Louvem o* Senhor; também em todo o livro de Salmos.

⁵Lembrem-se das maravilhas que ele fez,
dos seus prodígios
 e das sentenças de juízo que pronunciou,
⁶ó descendentes de Abraão, seu servo,
ó filhos de Jacó, seus escolhidos.

⁷Ele é o Senhor, o nosso Deus;
seus decretos são para toda a terra.
⁸Ele se lembra para sempre da sua aliança,
por mil gerações, da palavra que ordenou,
⁹da aliança que fez com Abraão,
do juramento que fez a Isaque.
¹⁰Ele o confirmou como decreto a Jacó,
a Israel como aliança eterna, quando disse:
¹¹"Darei a você a terra de Canaã,
 a herança que lhe pertence".

¹²Quando ainda eram poucos,
um punhado de peregrinos na terra,
¹³e vagueavam de nação em nação,
de um reino a outro,
¹⁴ele não permitiu que ninguém os oprimisse,
mas a favor deles repreendeu reis, dizendo:
¹⁵"Não toquem nos meus ungidos;
 não maltratem os meus profetas".

¹⁶Ele mandou vir fome sobre a terra
 e destruiu todo o seu sustento;
¹⁷mas enviou um homem adiante deles,
 José, que foi vendido como escravo.
¹⁸Machucaram-lhe os pés com correntes
 e com ferros prenderam-lhe o pescoço,
¹⁹até cumprir-se a sua predição
 e a palavra do Senhor confirmar o que dissera.
²⁰O rei mandou soltá-lo,
 o governante dos povos o libertou.
²¹Ele o constituiu senhor de seu palácio
 e administrador de todos os seus bens,
²²para instruir os seus oficiais como desejasse
 e ensinar a sabedoria às autoridades do rei.

²³Então Israel foi para o Egito,
Jacó viveu como estrangeiro na terra de Cam.
²⁴Deus fez proliferar o seu povo,
tornou-o mais poderoso
   do que os seus adversários,
²⁵e mudou o coração deles
para que odiassem o seu povo,
para que tramassem contra os seus servos.
²⁶Então enviou seu servo Moisés,
e Arão, a quem tinha escolhido,
²⁷por meio dos quais realizou
   os seus sinais milagrosos
e as suas maravilhas na terra de Cam.
²⁸Ele enviou trevas, e houve trevas,
e eles não se rebelaram[a] contra as suas palavras.
²⁹Ele transformou as águas deles em sangue,
causando a morte dos seus peixes.
³⁰A terra deles ficou infestada de rãs,
até mesmo os aposentos reais.
³¹Ele ordenou, e enxames de moscas e piolhos[b]
   invadiram o território deles.
³²Deu-lhes granizo, em vez de chuva,
e raios flamejantes por toda a sua terra;
³³arrasou as suas videiras e figueiras
e destruiu as árvores do seu território.
³⁴Ordenou, e vieram enxames de gafanhotos,
   gafanhotos inumeráveis,
³⁵e devoraram toda a vegetação daquela terra,
e consumiram tudo o que a lavoura produziu.
³⁶Depois matou todos os primogênitos
   da terra deles,
todas as primícias da sua virilidade.

³⁷Ele tirou de lá Israel,
   que saiu cheio de prata e ouro.
Não havia em suas tribos quem fraquejasse.

---

[a] **105:28** A Septuaginta e a Versão Siríaca dizem *mas eles se rebelaram*.
[b] **105:31** Ou *mosquitos*

³⁸Os egípcios alegraram-se quando eles saíram,
pois estavam com verdadeiro pavor
   dos israelitas.
³⁹Ele estendeu uma nuvem para lhes dar sombra,
e fogo para iluminar a noite.
⁴⁰Pediram, e ele enviou codornizes,
e saciou-os com pão do céu.
⁴¹Ele fendeu a rocha, e jorrou água,
que escorreu como um rio pelo deserto.
⁴²Pois ele se lembrou da santa promessa
   que fizera ao seu servo Abraão.
⁴³Fez o seu povo sair cheio de júbilo,
e os seus escolhidos, com cânticos alegres.
⁴⁴Deu-lhes as terras das nações,
e eles tomaram posse
   do fruto do trabalho de outros povos,
⁴⁵para que obedecessem aos seus decretos
   e guardassem as suas leis.

Aleluia!

Salmo 106

¹Aleluia!

Deem graças ao Senhor porque ele é bom;
   o seu amor dura para sempre.
²Quem poderá descrever
   os feitos poderosos do Senhor,
ou declarar todo o louvor que lhe é devido?
³Como são felizes
   os que perseveram na retidão,
que sempre praticam a justiça!
⁴Lembra-te de mim, Senhor,
   quando tratares com bondade o teu povo;
vem em meu auxílio quando o salvares,
⁵para que eu possa testemunhar[a]
   o bem-estar dos teus escolhidos,

---

[a] **106:5** Ou *desfrutar*

alegrar-me com a alegria do teu povo,
  e louvar-te junto com a tua herança.

⁶Pecamos como os nossos antepassados;
fizemos o mal e fomos rebeldes.
⁷No Egito, os nossos antepassados
  não deram atenção às tuas maravilhas;
não se lembraram das muitas manifestações
  do teu amor leal
e rebelaram-se junto ao mar, o mar Vermelho.
⁸Contudo, ele os salvou por causa do seu nome,
  para manifestar o seu poder.
⁹Repreendeu o mar Vermelho, e este secou;
ele os conduziu pelas profundezas
  como por um deserto.
¹⁰Salvou-os das mãos daqueles que os odiavam;
das mãos dos inimigos os resgatou.
¹¹As águas cobriram os seus adversários;
nenhum deles sobreviveu.
¹²Então creram nas suas promessas
e a ele cantaram louvores.

¹³Mas logo se esqueceram do que ele tinha feito
e não esperaram para saber o seu plano.
¹⁴Dominados pela gula no deserto,
puseram Deus à prova nas regiões áridas.
¹⁵Deu-lhes o que pediram,
mas mandou sobre eles uma doença terrível.

¹⁶No acampamento
  tiveram inveja de Moisés e de Arão,
daquele que fora consagrado ao Senhor.
¹⁷A terra abriu-se, engoliu Datã
e sepultou o grupo de Abirão;
¹⁸fogo surgiu entre os seus seguidores;
as chamas consumiram os ímpios.

¹⁹Em Horebe fizeram um bezerro,
adoraram um ídolo de metal.
²⁰Trocaram a Glória deles
  pela imagem de um boi que come capim.

²¹Esqueceram-se de Deus, seu Salvador,
   que fizera coisas grandiosas no Egito,
²²maravilhas na terra de Cam
   e feitos temíveis junto ao mar Vermelho.
²³Por isso, ele ameaçou destruí-los;
mas Moisés, seu escolhido,
intercedeuᵃ diante dele,
   para evitar que a sua ira os destruísse.

²⁴Também rejeitaram a terra desejável;
não creram na promessa dele.
²⁵Queixaram-se em suas tendas
e não obedeceram ao Senhor.
²⁶Assim, de mão levantada,
ele jurou que os abateria no deserto
²⁷e dispersaria os seus descendentes
   entre as nações e os espalharia por outras terras.

²⁸Sujeitaram-se ao jugo de Baal-Peor
e comeram sacrifícios oferecidos
   a ídolos mortos;
²⁹provocaram a ira do Senhor
   com os seus atos,
e uma praga irrompeu no meio deles.
³⁰Mas Fineias se interpôs para executar o juízo,
e a praga foi interrompida.
³¹Isso lhe foi creditado como um ato de justiça
que para sempre será lembrado,
   por todas as gerações.

³²Provocaram a ira de Deus
   junto às águas de Meribá;
e, por causa deles, Moisés foi castigado;
³³rebelaram-se contra o Espírito de Deus,
   e Moisésᵇ falou sem refletir.

³⁴Eles não destruíram os povos,
como o Senhor tinha ordenado,
³⁵em vez disso, misturaram-se com as nações
e imitaram as suas práticas.

ᵃ **106:23** Hebraico: *colocou-se na brecha.*
ᵇ **106:33** Ou *tanto irritaram-lhe o espírito que Moisés*

³⁶Prestaram culto aos seus ídolos,
que se tornaram uma armadilha para eles.
³⁷Sacrificaram seus filhos e suas filhas
 aos demônios.
³⁸Derramaram sangue inocente,
 o sangue de seus filhos e filhas
sacrificados aos ídolos de Canaã;
e a terra foi profanada pelo sangue deles.
³⁹Tornaram-se impuros pelos seus atos;
prostituíram-se por suas ações.

⁴⁰Por isso acendeu-se a ira do Senhor
 contra o seu povo
e ele sentiu aversão por sua herança.
⁴¹Entregou-os nas mãos das nações,
e os seus adversários dominaram sobre eles.
⁴²Os seus inimigos os oprimiram
e os subjugaram com o seu poder.
⁴³Ele os libertou muitas vezes,
embora eles persistissem
 em seus planos de rebelião
 e afundassem em sua maldade.

⁴⁴Mas Deus atentou para o sofrimento deles
 quando ouviu o seu clamor.
⁴⁵Lembrou-se da sua aliança com eles,
 e arrependeu-se,
por causa do seu imenso amor leal.
⁴⁶Fez com que os seus captores
 tivessem misericórdia deles.

⁴⁷Salva-nos, Senhor, nosso Deus!
Ajunta-nos dentre as nações,
para que demos graças ao teu santo nome
e façamos do teu louvor a nossa glória.

⁴⁸Bendito seja o Senhor, o Deus de Israel,
 por toda a eternidade.
Que todo o povo diga: "Amém!"

Aleluia!

QUINTO LIVRO

Salmo 107

¹Deem graças ao Senhor porque ele é bom;
o seu amor dura para sempre.
²Assim o digam os que o Senhor resgatou,
os que livrou das mãos do adversário,
³e reuniu de outras terras,
do oriente e do ocidente, do norte e do sul[a].

⁴Perambularam pelo deserto e por terras áridas
sem encontrar cidade habitada.
⁵Estavam famintos e sedentos;
sua vida ia se esvaindo.
⁶Na sua aflição, clamaram ao Senhor,
e ele os livrou da tribulação
   em que se encontravam
⁷e os conduziu por caminho seguro
   a uma cidade habitada.
⁸Que eles deem graças ao Senhor
   por seu amor leal e por suas maravilhas
   em favor dos homens,
⁹porque ele sacia o sedento
   e satisfaz plenamente o faminto.

¹⁰Assentaram-se nas trevas e na sombra mortal,
aflitos, acorrentados,
¹¹pois se rebelaram contra as palavras de Deus
e desprezaram os desígnios do Altíssimo.
¹²Por isso ele os sujeitou a trabalhos pesados;
eles tropeçaram,
   e não houve quem os ajudasse.
¹³Na sua aflição, clamaram ao Senhor,
e ele os salvou da tribulação
   em que se encontravam.
¹⁴Ele os tirou das trevas e da sombra mortal,
e quebrou as correntes que os prendiam.

---

[a] 107:3 Hebraico: *mar*.

¹⁵Que eles deem graças ao Senhor,
  por seu amor leal e por suas maravilhas
  em favor dos homens,
¹⁶porque despedaçou as portas de bronze
  e rompeu as trancas de ferro.

¹⁷Tornaram-se tolos por causa
  dos seus caminhos rebeldes,
e sofreram por causa das suas maldades.
¹⁸Sentiram repugnância por toda comida
e chegaram perto das portas da morte.
¹⁹Na sua aflição, clamaram ao Senhor,
e ele os salvou da tribulação
  em que se encontravam.
²⁰Ele enviou a sua palavra e os curou,
e os livrou da morte.
²¹Que eles deem graças ao Senhor,
  por seu amor leal e por suas maravilhas
  em favor dos homens.
²²Que eles ofereçam
  sacrifícios de ação de graças
  e anunciem as suas obras
  com cânticos de alegria.

²³Fizeram-se ao mar em navios,
para negócios na imensidão das águas,
²⁴e viram as obras do Senhor,
as suas maravilhas nas profundezas.
²⁵Deus falou e provocou um vendaval
  que levantava as ondas.
²⁶Subiam aos céus e desciam aos abismos;
diante de tal perigo, perderam a coragem.
²⁷Cambaleavam, tontos como bêbados,
e toda a sua habilidade foi inútil.
²⁸Na sua aflição, clamaram ao Senhor,
e ele os tirou da tribulação
  em que se encontravam.
²⁹Reduziu a tempestade a uma brisa
e serenou as ondas.
³⁰As ondas sossegaram, eles se alegraram,
e Deus os guiou ao porto almejado.

⁳¹Que eles deem graças ao Senhor
  por seu amor leal e por suas maravilhas
  em favor dos homens.
³²Que o exaltem na assembleia do povo
  e o louvem na reunião dos líderes.

³³Ele transforma os rios em deserto
e as fontes em terra seca,
³⁴faz da terra fértil um solo estéril,
por causa da maldade dos seus moradores.
³⁵Transforma o deserto em açudes
e a terra ressecada, em fontes.
³⁶Ali ele assenta os famintos,
para fundarem uma cidade habitável,
³⁷semearem lavouras, plantarem vinhas
e colherem uma grande safra.
³⁸Ele os abençoa, e eles se multiplicam;
e não deixa que os seus rebanhos diminuam.

³⁹Quando, porém, reduzidos,
são humilhados com opressão,
  desgraça e tristeza.
⁴⁰Deus derrama desprezo sobre os nobres
e os faz vagar num deserto sem caminhos.
⁴¹Mas tira os pobres da miséria
e aumenta as suas famílias como rebanhos.
⁴²Os justos veem tudo isso e se alegram,
mas todos os perversos se calam.

⁴³Reflitam nisso os sábios
  e considerem a bondade do Senhor.

Salmo 108

Uma canção. Salmo davídico.

¹Meu coração está firme, ó Deus!
Cantarei e louvarei, ó Glória minha!
²Acordem, harpa e lira!
Despertarei a alvorada.
³Eu te darei graças, ó Senhor, entre os povos;
cantarei louvores entre as nações,

⁴porque o teu amor leal
  se eleva muito acima dos céus;
a tua fidelidade alcança as nuvens!
⁵Sê exaltado, ó Deus, acima dos céus;
estenda-se a tua glória sobre toda a terra!

⁶Salva-nos com a tua mão direita
  e responde-nos,
para que sejam libertos aqueles a quem amas.
⁷Do seu santuário[a] Deus falou:
"No meu triunfo dividirei Siquém
e repartirei o vale de Sucote.
⁸Gileade me pertence, e Manassés também;
Efraim é o meu capacete, Judá é o meu cetro.
⁹Moabe é a pia em que me lavo,
em Edom atiro a minha sandália,
sobre a Filístia dou meu brado de vitória!"

¹⁰Quem me levará à cidade fortificada?
Quem me guiará a Edom?
¹¹Não foste tu, ó Deus, que nos rejeitaste
e deixaste de sair com os nossos exércitos?
¹²Dá-nos ajuda contra os adversários,
pois inútil é o socorro do homem.
¹³Com Deus conquistaremos a vitória,
e ele pisará os nossos adversários.

Salmo 109

Para o mestre de música. Salmo davídico.

¹Ó Deus, a quem louvo, não fiques indiferente,
²pois homens ímpios e falsos
  dizem calúnias contra mim,
e falam mentiras a meu respeito.
³Eles me cercaram com palavras
  carregadas de ódio;
atacaram-me sem motivo.
⁴Em troca da minha amizade eles me acusam,
mas eu permaneço em oração.

---
[a] **108:7** Ou *Na sua santidade*

⁵Retribuem-me o bem com o mal,
e a minha amizade com ódio.

⁶Designe-se[a] um ímpio[b] para ser seu oponente;
à sua direita esteja um acusador[c].
⁷Seja declarado culpado no julgamento,
e que até a sua oração seja considerada pecado.
⁸Seja a sua vida curta,
e outro ocupe o seu lugar.
⁹Fiquem órfãos os seus filhos
e a sua esposa, viúva.
¹⁰Vivam os seus filhos vagando como mendigos,
e saiam rebuscando o pão
  longe de[d] suas casas em ruínas.
¹¹Que um credor se aposse
  de todos os seus bens,
e estranhos saqueiem o fruto do seu trabalho.
¹²Que ninguém o trate com bondade
nem tenha misericórdia dos seus filhos órfãos.
¹³Sejam exterminados os seus descendentes
e desapareçam os seus nomes
  na geração seguinte.
¹⁴Que o Senhor se lembre
  da iniquidade dos seus antepassados,
e não se apague o pecado de sua mãe.
¹⁵Estejam os seus pecados sempre
  perante o Senhor,
e na terra ninguém jamais se lembre
  da sua família.

¹⁶Pois ele jamais pensou em praticar
  um ato de bondade,
mas perseguiu até a morte o pobre,
  o necessitado e o de coração partido.
¹⁷Ele gostava de amaldiçoar:
  venha sobre ele a maldição!
Não tinha prazer em abençoar:
  afaste-se dele a bênção!

---
[a] **109:6** Ou *Eles dizem: "Designa*
[b] **109:6** Ou *o maligno*
[c] **109:6** Ou *Satanás*
[d] **109:10** A Septuaginta diz *e sejam expulsos de*.

¹⁸Ele vestia a maldição como uma roupa:
 entre ela em seu corpo como água
 e em seus ossos como óleo.
¹⁹Envolva-o como um manto
 e aperte-o sempre como um cinto.
²⁰Assim retribua o Senhor
 aos meus acusadores,
aos que me caluniam.

²¹Mas tu, Soberano Senhor,
intervém em meu favor, por causa do teu nome.
Livra-me, pois é sublime o teu amor leal!
²²Sou pobre e necessitado
e, no íntimo, o meu coração está abatido.
²³Vou definhando como a sombra vespertina;
para longe sou lançado, como um gafanhoto.
²⁴De tanto jejuar os meus joelhos fraquejam
e o meu corpo definha de magreza.
²⁵Sou objeto de zombaria
 para os meus acusadores;
logo que me veem, meneiam a cabeça.

²⁶Socorro, Senhor, meu Deus!
Salva-me pelo teu amor leal!
²⁷Que eles reconheçam que foi a tua mão,
que foste tu, Senhor, que o fizeste.
²⁸Eles podem amaldiçoar,
 tu, porém, me abençoas.
Quando atacarem, serão humilhados,
 mas o teu servo se alegrará.
²⁹Sejam os meus acusadores
 vestidos de desonra;
que a vergonha os cubra como um manto.

³⁰Em alta voz, darei muitas graças ao Senhor;
 no meio da assembleia eu o louvarei,
³¹pois ele se põe ao lado do pobre
 para salvá-lo daqueles que o condenam.

Salmo 110

Salmo davídico.

¹O Senhor disse ao meu Senhor:
   "Senta-te à minha direita
até que eu faça dos teus inimigos
   um estrado para os teus pés".

²O Senhor estenderá
   o cetro de teu poder desde Sião,
e dominarás sobre os teus inimigos!
³Quando convocares as tuas tropas,
   o teu povo se apresentará voluntariamente.[a]
Trajando vestes santas,[b]
   desde o romper da alvorada
os teus jovens virão como o orvalho.[c]

⁴O Senhor jurou e não se arrependerá:
   "Tu és sacerdote para sempre,
   segundo a ordem de Melquisedeque".

⁵O Senhor está à tua direita;
ele esmagará reis no dia da sua ira.
⁶Julgará as nações, amontoando os mortos
   e esmagando governantes[d]
   em toda a extensão da terra.
⁷No caminho beberá de um ribeiro,
   e então erguerá a cabeça.

Salmo 111[e]

¹Aleluia!

Darei graças ao Senhor de todo o coração
   na reunião da congregação dos justos.

²Grandes são as obras do Senhor;
nelas meditam todos os que as apreciam.

---

[a] **110:3** A Septuaginta diz *contigo está o principado*.
[b] **110:3** Vários manuscritos do Texto Massorético e outras versões antigas dizem *Dos santos montes*.
[c] **110:3** A Septuaginta, a Versão Siríaca e vários manuscritos do Texto Massorético dizem *antes da aurora eu o gerei*.
[d] **110:6** Ou *cabeças*
[e] O salmo 111 é um poema organizado em ordem alfabética, no hebraico.

³Os seus feitos manifestam
   majestade e esplendor,
e a sua justiça dura para sempre.
⁴Ele fez proclamar as suas maravilhas;
o Senhor é misericordioso e compassivo.
⁵Deu alimento aos que o temiam,
pois sempre se lembra de sua aliança.
⁶Mostrou ao seu povo os seus feitos poderosos,
dando-lhe as terras das nações.
⁷As obras das suas mãos são fiéis e justas;
todos os seus preceitos merecem confiança.
⁸Estão firmes para sempre,
estabelecidos com fidelidade e retidão.
⁹Ele trouxe redenção ao seu povo
e firmou a sua aliança para sempre.
   Santo e temível é o seu nome!

¹⁰O temor do Senhor
   é o princípio da sabedoria;
todos os que cumprem os seus preceitos
   revelam bom senso.

Ele será louvado para sempre!

Salmo 112[a]

¹Aleluia!

Como é feliz o homem que teme o Senhor
e tem grande prazer em seus mandamentos!
²Seus descendentes serão poderosos na terra,
serão uma geração abençoada,
   de homens íntegros.
³Grande riqueza há em sua casa,
e a sua justiça dura para sempre.
⁴A luz raia nas trevas para o íntegro,
para quem é misericordioso[b],
   compassivo e justo.

---
[a] O salmo 112 é um poema organizado em ordem alfabética, no hebraico.
[b] **112:4** Ou *pois o Senhor é misericordioso*

⁵Feliz é o homem
   que empresta com generosidade
e que com honestidade conduz os seus negócios.
⁶O justo jamais será abalado;
para sempre se lembrarão dele.
⁷Não temerá más notícias;
seu coração está firme, confiante no Senhor.
⁸O seu coração está seguro e nada temerá.
No final, verá a derrota dos seus adversários.
⁹Reparte generosamente com os pobres;
a sua justiça dura para sempre;
seu poder[a] será exaltado em honra.

¹⁰O ímpio o vê e fica irado,
   range os dentes e definha.
O desejo dos ímpios se frustrará.

Salmo 113

¹Aleluia!

Louvem, ó servos do Senhor,
louvem o nome do Senhor!
²Seja bendito o nome do Senhor,
desde agora e para sempre!
³Do nascente ao poente,
seja louvado o nome do Senhor!

⁴O Senhor está exaltado
   acima de todas as nações;
e acima dos céus está a sua glória.
⁵Quem é como o Senhor, o nosso Deus,
   que reina em seu trono nas alturas,
⁶mas se inclina para contemplar
   o que acontece nos céus e na terra?

⁷Ele levanta do pó o necessitado
e ergue do lixo o pobre,
⁸para fazê-los sentar-se com príncipes,
com os príncipes do seu povo.

---
[a] 112:9 Hebraico: *chifre*.

⁹Dá um lar à estéril,
e dela faz uma feliz mãe de filhos.

Aleluia!

Salmo 114

¹Quando Israel saiu do Egito,
e a casa de Jacó saiu do meio
de um povo de língua estrangeira,
²Judá tornou-se o santuário de Deus,
Israel o seu domínio.

³O mar olhou e fugiu,
  o Jordão retrocedeu;
⁴os montes saltaram como carneiros,
  as colinas, como cordeiros.

⁵Por que fugir, ó mar?
E você, Jordão, por que retroceder?
⁶Por que vocês saltaram como carneiros,
  ó montes?
E vocês, colinas, porque saltaram
  como cordeiros?

⁷Estremeça na presença do Soberano, ó terra,
  na presença do Deus de Jacó!
⁸Ele fez da rocha um açude,
  do rochedo uma fonte.

Salmo 115

¹Não a nós, Senhor, nenhuma glória para nós,
  mas sim ao teu nome,
por teu amor e por tua fidelidade!

²Por que perguntam as nações:
  "Onde está o Deus deles?"
³O nosso Deus está nos céus,
e pode fazer tudo o que lhe agrada.
⁴Os ídolos deles, de prata e ouro,
são feitos por mãos humanas.

⁵Têm boca, mas não podem falar,
olhos, mas não podem ver;
⁶têm ouvidos, mas não podem ouvir,
nariz, mas não podem sentir cheiro;
⁷têm mãos, mas nada podem apalpar,
pés, mas não podem andar;
e não emitem som algum com a garganta.
⁸Tornem-se como eles aqueles que os fazem
  e todos os que neles confiam.

⁹Confie no Senhor, ó Israel!
  Ele é o seu socorro e o seu escudo.
¹⁰Confiem no Senhor, sacerdotes!
  Ele é o seu socorro e o seu escudo.
¹¹Vocês que temem o Senhor,
  confiem no Senhor!
Ele é o seu socorro e o seu escudo.

¹²O Senhor lembra-se de nós e nos abençoará;
  abençoará os israelitas,
  abençoará os sacerdotes,
¹³abençoará os que temem o Senhor,
  do menor ao maior.
¹⁴Que o Senhor os multiplique,
  vocês e os seus filhos.
¹⁵Sejam vocês abençoados pelo Senhor,
  que fez os céus e a terra.

¹⁶Os mais altos céus pertencem ao Senhor,
mas a terra ele a confiou ao homem.
¹⁷Os mortos não louvam o Senhor,
tampouco nenhum dos que descem ao silêncio.
¹⁸Mas nós bendiremos o Senhor,
  desde agora e para sempre!

Aleluia!

Salmo 116

¹Eu amo o Senhor, porque ele me ouviu
  quando lhe fiz a minha súplica.

²Ele inclinou os seus ouvidos para mim;
eu o invocarei toda a minha vida.

³As cordas da morte me envolveram,
as angústias do Sheol[a] vieram sobre mim;
aflição e tristeza me dominaram.
⁴Então clamei pelo nome do SENHOR:
   Livra-me, SENHOR!

⁵O SENHOR é misericordioso e justo;
o nosso Deus é compassivo.
⁶O SENHOR protege os simples;
quando eu já estava sem forças, ele me salvou.

⁷Retorne ao seu descanso, ó minha alma,
   porque o SENHOR tem sido bom para você!

⁸Pois tu me livraste da morte,
   e livraste os meus olhos das lágrimas
   e os meus pés, de tropeçar,
⁹para que eu pudesse andar diante do SENHOR
   na terra dos viventes.
¹⁰Eu cri, ainda que tenha dito:[b]
   Estou muito aflito.
¹¹Em pânico eu disse:
   Ninguém merece confiança.

¹²Como posso retribuir ao SENHOR
   toda a sua bondade para comigo?
¹³Erguerei o cálice da salvação
   e invocarei o nome do SENHOR.
¹⁴Cumprirei para com o SENHOR
   os meus votos,
na presença de todo o seu povo.

¹⁵O SENHOR vê com pesar
   a morte de seus fiéis.[c]
¹⁶SENHOR, sou teu servo,
Sim, sou teu servo, filho da tua serva;
livraste-me das minhas correntes.

---

[a] **116:3** Essa palavra pode ser traduzida por sepultura, profundezas, pó ou morte.
[b] **116:10** Ou *Eu cri, por isso falei:*
[c] **116:15** Ou *Para o Senhor é preciosa a morte dos seus fiéis.*

¹⁷Oferecerei a ti um sacrifício de gratidão
   e invocarei o nome do Senhor.
¹⁸Cumprirei para com o Senhor
   os meus votos,
na presença de todo o seu povo,
¹⁹nos pátios da casa do Senhor,
   no seu interior, ó Jerusalém!

Aleluia!

Salmo 117

¹Louvem o Senhor, todas as nações;
   exaltem-no, todos os povos!
²Porque imenso é o seu amor leal por nós,
   e a fidelidade do Senhor dura para sempre.

Aleluia!

Salmo 118

¹Deem graças ao Senhor porque ele é bom;
   o seu amor dura para sempre.

²Que Israel diga:
   "O seu amor dura para sempre!"
³Os sacerdotes digam:
   "O seu amor dura para sempre!"
⁴Os que temem o Senhor digam:
   "O seu amor dura para sempre!"

⁵Na minha angústia clamei ao Senhor;
e o Senhor me respondeu,
   dando-me ampla liberdade[a].
⁶O Senhor está comigo, não temerei.
O que me podem fazer os homens?
⁷O Senhor está comigo;
   ele é o meu ajudador.
Verei a derrota dos meus inimigos.

---
[a] **118:5** Hebraico: *pondo-me num lugar espaçoso.*

⁸É melhor buscar refúgio no Senhor
　do que confiar nos homens.
⁹É melhor buscar refúgio no Senhor
　do que confiar em príncipes.

¹⁰Todas as nações me cercaram,
mas em nome do Senhor eu as derrotei.
¹¹Cercaram-me por todos os lados,
mas em nome do Senhor eu as derrotei.
¹²Cercaram-me como um enxame de abelhas,
mas logo se extinguiram
　como espinheiros em chamas.
Em nome do Senhor eu as derrotei!

¹³Empurraram-me para forçar a minha queda,
　mas o Senhor me ajudou.
¹⁴O Senhor é a minha força e o meu cântico;
　ele é a minha salvação.

¹⁵Alegres brados de vitória
　ressoam nas tendas dos justos:
"A mão direita do Senhor age com poder!
¹⁶A mão direita do Senhor é exaltada!
　A mão direita do Senhor age com poder!"

¹⁷Não morrerei; mas vivo ficarei
para anunciar os feitos do Senhor.
¹⁸O Senhor me castigou com severidade,
mas não me entregou à morte.

¹⁹Abram as portas da justiça para mim,
pois quero entrar para dar graças ao Senhor.
²⁰Esta é a porta do Senhor,
pela qual entram os justos.
²¹Dou-te graças, porque me respondeste
e foste a minha salvação.

²²A pedra que os construtores rejeitaram
　tornou-se a pedra angular.
²³Isso vem do Senhor,
　e é algo maravilhoso para nós.
²⁴Este é o dia em que o Senhor agiu;
　alegremo-nos e exultemos neste dia.

²⁵Salva-nos, Senhor! Nós imploramos.
Faze-nos prosperar, Senhor! Nós suplicamos.
²⁶Bendito é o que vem em nome do Senhor.
Da casa do Senhor nós os abençoamos.
²⁷O Senhor é Deus,
  e ele fez resplandecer sobre nós a sua luz.[a]
Juntem-se ao cortejo festivo,
  levando ramos até as pontas[b] do altar.

²⁸Tu és o meu Deus; graças te darei!
  Ó meu Deus, eu te exaltarei!

²⁹Deem graças ao Senhor, porque ele é bom;
  o seu amor dura para sempre.

Salmo 119[c]

Álef

¹Como são felizes os que andam
  em caminhos irrepreensíveis,
que vivem conforme a lei do Senhor!
²Como são felizes os que obedecem
  aos seus estatutos
e de todo o coração o buscam!
³Não praticam o mal
e andam nos caminhos do Senhor.
⁴Tu mesmo ordenaste os teus preceitos
para que sejam fielmente obedecidos.
⁵Quem dera fossem firmados os meus caminhos
  na obediência aos teus decretos.
⁶Então não ficaria decepcionado
  ao considerar todos os teus mandamentos.
⁷Eu te louvarei de coração sincero
  quando aprender as tuas justas ordenanças.
⁸Obedecerei aos teus decretos;
  nunca me abandones.

---
[a] **118:27** Ou *mostrou sua bondade para conosco*.
[b] **118:27** Ou *Amarrem o sacrifício da festa com cordas e levem-no até as pontas*
[c] O salmo 119 é um poema organizado em ordem alfabética, no hebraico.

Bêt

⁹Como pode o jovem
   manter pura a sua conduta?
Vivendo de acordo com a tua palavra.
¹⁰Eu te busco de todo o coração;
não permitas que eu me desvie
   dos teus mandamentos.
¹¹Guardei no coração a tua palavra
para não pecar contra ti.
¹²Bendito sejas, Senhor!
Ensina-me os teus decretos.
¹³Com os lábios repito
todas as leis que promulgaste.
¹⁴Regozijo-me em seguir os teus testemunhos
como o que se regozija com grandes riquezas.
¹⁵Meditarei nos teus preceitos
e darei atenção às tuas veredas.
¹⁶Tenho prazer nos teus decretos;
não me esqueço da tua palavra.

Guímel

¹⁷Trata com bondade o teu servo
para que eu viva e obedeça à tua palavra.
¹⁸Abre os meus olhos
   para que eu veja as maravilhas da tua lei.
¹⁹Sou peregrino na terra;
não escondas de mim os teus
   mandamentos.
²⁰A minha alma consome-se de perene desejo
   das tuas ordenanças.
²¹Tu repreendes os arrogantes;
malditos os que se desviam
   dos teus mandamentos!
²²Tira de mim a afronta e o desprezo,
pois obedeço aos teus estatutos.
²³Mesmo que os poderosos se reúnam
   para conspirar contra mim,
ainda assim o teu servo meditará
   nos teus decretos.

²⁴Sim, os teus testemunhos são o meu prazer;
eles são os meus conselheiros.

Dálet

²⁵Agora estou prostrado no pó;
preserva a minha vida
 conforme a tua promessa.
²⁶A ti relatei os meus caminhos
 e tu me respondeste;
ensina-me os teus decretos.
²⁷Faze-me discernir o propósito
 dos teus preceitos;
então meditarei nas tuas maravilhas.
²⁸A minha alma se consome de tristeza;
fortalece-me conforme a tua promessa.
²⁹Desvia-me dos caminhos enganosos;
por tua graça, ensina-me a tua lei.
³⁰Escolhi o caminho da fidelidade;
decidi seguir as tuas ordenanças.
³¹Apego-me aos teus testemunhos,
 ó Senhor;
não permitas que eu fique decepcionado.
³²Corro pelo caminho
 que os teus mandamentos apontam,
pois me deste maior entendimento.

He

³³Ensina-me, Senhor,
 o caminho dos teus decretos,
e a eles obedecerei até o fim.
³⁴Dá-me entendimento,
 para que eu guarde a tua lei
e a ela obedeça de todo o coração.
³⁵Dirige-me pelo caminho
 dos teus mandamentos,
pois nele encontro satisfação.
³⁶Inclina o meu coração para os teus estatutos,
e não para a ganância.

³⁷Desvia os meus olhos das coisas inúteis;
faze-me viver nos caminhos que traçaste.ᵃ
³⁸Cumpre a tua promessa
   para com o teu servo,
para que sejas temido.
³⁹Livra-me da afronta que me apavora,
pois as tuas ordenanças são boas.
⁴⁰Como anseio pelos teus preceitos!
Preserva a minha vida por tua justiça!

Vav

⁴¹Que o teu amor alcance-me, Senhor,
e a tua salvação, segundo a tua promessa;
⁴²então responderei aos que me afrontam,
pois confio na tua palavra.
⁴³Jamais tires da minha boca
   a palavra da verdade,
pois nas tuas ordenanças
   coloquei a minha esperança.
⁴⁴Obedecerei constantemente à tua lei,
para todo o sempre.
⁴⁵Andarei em verdadeira liberdade,
pois tenho buscado os teus preceitos.
⁴⁶Falarei dos teus testemunhos diante de reis,
sem ficar envergonhado.
⁴⁷Tenho prazer nos teus mandamentos;
eu os amo.
⁴⁸A tiᵇ levanto minhas mãos
   e medito nos teus decretos.

Zain

⁴⁹Lembra-te da tua palavra ao teu servo,
pela qual me deste esperança.
⁵⁰Este é o meu consolo no meu sofrimento:
   A tua promessa dá-me vida.
⁵¹Os arrogantes zombam de mim
   o tempo todo,
mas eu não me desvio da tua lei.

ᵃ **119:37** Dois manuscritos do Texto Massorético e os manuscritos do mar Morto dizem *preserva a minha vida pela tua palavra*.
ᵇ **119:48** Ou *Aos teus mandamentos*

⁵²Lembro-me, Senhor,
   das tuas ordenanças do passado
e nelas acho consolo.
⁵³Fui tomado de ira tremenda
   por causa dos ímpios
   que rejeitaram a tua lei.
⁵⁴Os teus decretos são o tema
   da minha canção em minha peregrinação.
⁵⁵De noite lembro-me do teu nome, Senhor!
Vou obedecer à tua lei.
⁵⁶Esta tem sido a minha prática:
   Obedecer aos teus preceitos.

Hêt

⁵⁷Tu és a minha herança, Senhor;
prometi obedecer às tuas palavras.
⁵⁸De todo o coração suplico a tua graça;
tem misericórdia de mim,
   conforme a tua promessa.
⁵⁹Refleti em meus caminhos
e voltei os meus passos
   para os teus testemunhos.
⁶⁰Eu me apressarei e não hesitarei
   em obedecer aos teus mandamentos.
⁶¹Embora as cordas dos ímpios
   queiram prender-me,
eu não me esqueço da tua lei.
⁶²À meia-noite me levanto para dar-te graças
   pelas tuas justas ordenanças.
⁶³Sou amigo de todos os que te temem
   e obedecem aos teus preceitos.
⁶⁴A terra está cheia do teu amor, Senhor;
   ensina-me os teus decretos.

Tét

⁶⁵Trata com bondade o teu servo, Senhor,
conforme a tua promessa.
⁶⁶Ensina-me o bom senso e o conhecimento,
pois confio em teus mandamentos.
⁶⁷Antes de ser castigado, eu andava desviado,
mas agora obedeço à tua palavra.

⁶⁸Tu és bom, e o que fazes é bom;
ensina-me os teus decretos.
⁶⁹Os arrogantes mancharam o meu nome
　com mentiras,
mas eu obedeço aos teus preceitos
　de todo o coração.
⁷⁰O coração deles é insensível,
　eu, porém, tenho prazer na tua lei.
⁷¹Foi bom para mim ter sido castigado,
　para que aprendesse os teus decretos.
⁷²Para mim vale mais a lei que decretaste
　do que milhares de peças de prata e ouro.

Iode

⁷³As tuas mãos me fizeram e me formaram;
dá-me entendimento para aprender
　os teus mandamentos.
⁷⁴Quando os que têm temor de ti me virem,
　se alegrarão,
pois na tua palavra
　coloquei a minha esperança.
⁷⁵Sei, Senhor, que as tuas ordenanças
　são justas,
e que por tua fidelidade me castigaste.
⁷⁶Seja o teu amor o meu consolo,
conforme a tua promessa ao teu servo.
⁷⁷Alcance-me a tua misericórdia
　para que eu tenha vida,
porque a tua lei é o meu prazer.
⁷⁸Sejam humilhados os arrogantes,
pois prejudicaram-me sem motivo;
mas eu meditarei nos teus preceitos.
⁷⁹Venham apoiar-me aqueles que te temem,
aqueles que entendem os teus estatutos.
⁸⁰Seja o meu coração íntegro
　para com os teus decretos,
para que eu não seja humilhado.

Caf

⁸¹Estou quase desfalecido,
   aguardando a tua salvação,
mas na tua palavra coloquei a minha esperança.
⁸²Os meus olhos fraquejam
   de tanto esperar pela tua promessa,
e pergunto: Quando me consolarás?
⁸³Embora eu seja como uma vasilha inútil[a],
não me esqueço dos teus decretos.
⁸⁴Até quando o teu servo deverá esperar
para que castigues os meus perseguidores?
⁸⁵Cavaram uma armadilha contra mim
   os arrogantes,
os que não seguem a tua lei.
⁸⁶Todos os teus mandamentos
   merecem confiança;
ajuda-me, pois sou perseguido com mentiras.
⁸⁷Quase acabaram com a minha vida
   na terra,
mas não abandonei os teus preceitos.
⁸⁸Preserva a minha vida pelo teu amor,
e obedecerei aos estatutos que decretaste.

Lâmed

⁸⁹A tua palavra, Senhor,
   para sempre está firmada nos céus.
⁹⁰A tua fidelidade é constante
   por todas as gerações;
estabeleceste a terra, que firme subsiste.
⁹¹Conforme as tuas ordens,
   tudo permanece até hoje[b],
pois tudo está a teu serviço.
⁹²Se a tua lei não fosse o meu prazer,
o sofrimento já me teria destruído.
⁹³Jamais me esquecerei dos teus preceitos,
pois é por meio deles
   que preservas a minha vida.
⁹⁴Salva-me, pois a ti pertenço
   e busco os teus preceitos!

---

[a] **119:83** Hebraico: *um odre na fumaça.*
[b] **119:91** Ou *as tuas leis permanecem até hoje*

⁹⁵Os ímpios estão à espera para destruir-me,
mas eu considero os teus testemunhos.
⁹⁶Tenho constatado
  que toda perfeição tem limite;
mas não há limite para o teu mandamento.

Mem

⁹⁷Como eu amo a tua lei!
  Medito nela o dia inteiro.
⁹⁸Os teus mandamentos me tornam
  mais sábio que os meus inimigos,
porquanto estão sempre comigo.
⁹⁹Tenho mais discernimento
  que todos os meus mestres,
pois medito nos teus testemunhos.
¹⁰⁰Tenho mais entendimento que os anciãos,
pois obedeço aos teus preceitos.
¹⁰¹Afasto os pés de todo caminho mau
para obedecer à tua palavra.
¹⁰²Não me afasto das tuas ordenanças,
pois tu mesmo me ensinas.
¹⁰³Como são doces para o meu paladar
  as tuas palavras!
Mais que o mel para a minha boca!
¹⁰⁴Ganho entendimento
  por meio dos teus preceitos;
por isso odeio todo caminho de falsidade.

Nun

¹⁰⁵A tua palavra é lâmpada
  que ilumina os meus passos
e luz que clareia o meu caminho.
¹⁰⁶Prometi sob juramento e o cumprirei:
vou obedecer às tuas justas ordenanças.
¹⁰⁷Passei por muito sofrimento;
preserva, Senhor, a minha vida,
  conforme a tua promessa.
¹⁰⁸Aceita, Senhor, a oferta de louvor
  dos meus lábios,
e ensina-me as tuas ordenanças.

¹⁰⁹A minha vida está sempre em perigo^a,
mas não me esqueço da tua lei.
¹¹⁰Os ímpios prepararam uma armadilha
   contra mim,
mas não me desviei dos teus preceitos.
¹¹¹Os teus testemunhos
são a minha herança permanente;
são a alegria do meu coração.
¹¹²Dispus o meu coração para cumprir
   os teus decretos até o fim.

Sâmeq

¹¹³Odeio os que são inconstantes,
mas amo a tua lei.
¹¹⁴Tu és o meu abrigo e o meu escudo;
e na tua palavra coloquei minha esperança.
¹¹⁵Afastem-se de mim os que praticam o mal!
Quero obedecer
   aos mandamentos do meu Deus!
¹¹⁶Sustenta-me, segundo a tua promessa,
   e eu viverei;
não permitas que se frustrem
   as minhas esperanças.
¹¹⁷Ampara-me, e estarei seguro;
sempre estarei atento aos teus decretos.
¹¹⁸Tu rejeitas todos os que se desviam
   dos teus decretos,
pois os seus planos enganosos são inúteis.
¹¹⁹Tu destróis^b como refugo
   todos os ímpios da terra;
por isso amo os teus testemunhos.
¹²⁰O meu corpo estremece diante de ti;
as tuas ordenanças enchem-me de temor.

Áin

¹²¹Tenho vivido com justiça e retidão;
não me abandones
   nas mãos dos meus opressores.

---

[a] **119:109** Hebraico: *em minhas mãos*.
[b] **119:119** Alguns manuscritos do Texto Massorético, a Septuaginta e outras versões gregas dizem *consideras*.

¹²²Garante o bem-estar do teu servo;
não permitas que os arrogantes
   me oprimam.
¹²³Os meus olhos fraquejam,
   aguardando a tua salvação
e o cumprimento da tua justiça.
¹²⁴Trata o teu servo conforme o teu amor leal
e ensina-me os teus decretos.
¹²⁵Sou teu servo; dá-me discernimento
para compreender os teus testemunhos.
¹²⁶Já é tempo de agires, SENHOR,
pois a tua lei está sendo desrespeitada.
¹²⁷Eu amo os teus mandamentos
   mais do que o ouro,
mais do que o ouro puro.
¹²⁸Por isso considero justos
   os teus preceitos
e odeio todo caminho de falsidade.

Pê

¹²⁹Os teus testemunhos são maravilhosos;
por isso lhes obedeço.
¹³⁰A explicação das tuas palavras ilumina
e dá discernimento aos inexperientes.
¹³¹Abro a boca e suspiro,
ansiando por teus mandamentos.
¹³²Volta-te para mim
e tem misericórdia de mim,
como sempre fazes aos que amam o teu nome.
¹³³Dirige os meus passos,
   conforme a tua palavra;
não permitas que nenhum pecado me domine.
¹³⁴Resgata-me da opressão dos homens,
para que eu obedeça aos teus preceitos.
¹³⁵Faze o teu rosto resplandecer
   sobre[a] o teu servo,
e ensina-me os teus decretos.
¹³⁶Rios de lágrimas correm dos meus olhos,
   porque a tua lei não é obedecida.

---

[a] **119:135** Isto é, mostra a tua bondade para com.

Tsade

¹³⁷Justo és, Senhor,
e retas são as tuas ordenanças.
¹³⁸Ordenaste os teus testemunhos com justiça;
dignos são de inteira confiança!
¹³⁹O meu zelo me consome,
pois os meus adversários
 se esquecem das tuas palavras.
¹⁴⁰A tua promessa[a]
 foi plenamente comprovada,
e, por isso, o teu servo a ama.
¹⁴¹Sou pequeno e desprezado,
mas não esqueço os teus preceitos.
¹⁴²A tua justiça é eterna,
e a tua lei é a verdade.
¹⁴³Tribulação e angústia me atingiram,
mas os teus mandamentos são o meu prazer.
¹⁴⁴Os teus testemunhos são
 eternamente justos,
dá-me discernimento para que eu tenha vida.

Cof

¹⁴⁵Eu clamo de todo o coração;
responde-me, Senhor,
 e obedecerei aos teus testemunhos!
¹⁴⁶Clamo a ti; salva-me,
e obedecerei aos teus estatutos!
¹⁴⁷Antes do amanhecer me levanto
 e suplico o teu socorro;
na tua palavra coloquei minha esperança.
¹⁴⁸Fico acordado nas vigílias da noite,
para meditar nas tuas promessas.
¹⁴⁹Ouve a minha voz pelo teu amor leal;
faze-me viver, Senhor,
 conforme as tuas ordenanças.
¹⁵⁰Os meus perseguidores
 aproximam-se com más intenções;[b]
mas estão distantes da tua lei.

---

[a] **119:140** Ou *palavra*
[b] **119:150** Conforme alguns manuscritos do Texto Massorético, a Septuaginta e algumas versões gregas. O Texto Massorético diz *Os que tramam o mal estão por perto.*

¹⁵¹Tu, porém, Senhor, estás perto
e todos os teus mandamentos são verdadeiros.
¹⁵²Há muito aprendi dos teus testemunhos
   que tu os estabeleceste para sempre.

Rêsh

¹⁵³Olha para o meu sofrimento e livra-me,
pois não me esqueço da tua lei.
¹⁵⁴Defende a minha causa e resgata-me;
preserva a minha vida
   conforme a tua promessa.
¹⁵⁵A salvação está longe dos ímpios,
pois eles não buscam os teus decretos.
¹⁵⁶Grande é a tua compaixão, Senhor;
preserva a minha vida conforme as tuas leis.
¹⁵⁷Muitos são os meus adversários
   e os meus perseguidores,
mas eu não me desvio dos teus estatutos.
¹⁵⁸Com grande desgosto vejo os infiéis,
que não obedecem à tua palavra.
¹⁵⁹Vê como amo os teus preceitos!
Dá-me vida, Senhor, conforme o teu amor leal.
¹⁶⁰A verdade é a essência da tua palavra,
e todas as tuas justas ordenanças são eternas.

Shin e Sin

¹⁶¹Os poderosos perseguem-me sem motivo,
mas é diante da tua palavra
   que o meu coração treme.
¹⁶²Eu me regozijo na tua promessa como alguém
   que encontra grandes despojos.
¹⁶³Odeio e detesto a falsidade,
mas amo a tua lei.
¹⁶⁴Sete vezes por dia eu te louvo
por causa das tuas justas ordenanças.
¹⁶⁵Os que amam a tua lei desfrutam paz,
e nada há que os faça tropeçar.
¹⁶⁶Aguardo a tua salvação, Senhor,
e pratico os teus mandamentos.
¹⁶⁷Obedeço aos teus testemunhos;
amo-os infinitamente!

¹⁶⁸Obedeço a todos os teus preceitos
   e testemunhos,
pois conheces todos os meus caminhos.

Tau
¹⁶⁹Chegue à tua presença o meu clamor, Senhor!
Dá-me entendimento conforme a tua palavra.
¹⁷⁰Chegue a ti a minha súplica.
Livra-me, conforme a tua promessa.
¹⁷¹Meus lábios transbordarão de louvor,
pois me ensinas os teus decretos.
¹⁷²A minha língua cantará a tua palavra,
pois todos os teus mandamentos são justos.
¹⁷³Com tua mão vem ajudar-me,
pois escolhi os teus preceitos.
¹⁷⁴Anseio pela tua salvação, Senhor,
e a tua lei é o meu prazer.
¹⁷⁵Permite-me viver para que eu te louve;
e que as tuas ordenanças me sustentem.
¹⁷⁶Andei vagando como ovelha perdida;
vem em busca do teu servo,
   pois não me esqueci
   dos teus mandamentos.

Salmo 120

Cântico de Peregrinação[a].

¹Eu clamo pelo Senhor na minha angústia,
e ele me responde.
²Senhor, livra-me dos lábios mentirosos
e da língua traiçoeira!

³O que ele lhe dará?
Como lhe retribuirá, ó língua enganadora?

⁴Ele a castigará
   com flechas afiadas de guerreiro,
com brasas incandescentes de sândalo.

⁵Ai de mim, que vivo como estrangeiro
   em Meseque,

---
[a] **Título:** Ou *dos Degraus*; também nos Salmos 121 a 134.

que habito entre as tendas de Quedar!
⁶Tenho vivido tempo demais
   entre os que odeiam a paz.
⁷Sou um homem de paz;
mas, ainda que eu fale de paz,
   eles só falam de guerra.

Salmo 121

Cântico de Peregrinação.

¹Levanto os meus olhos para os montes
   e pergunto:
De onde me vem o socorro?
²O meu socorro vem do Senhor,
   que fez os céus e a terra.

³Ele não permitirá que você tropece;
o seu protetor se manterá alerta,
⁴sim, o protetor de Israel não dormirá;
ele está sempre alerta!

⁵O Senhor é o seu protetor;
   como sombra que o protege,
ele está à sua direita.
⁶De dia o sol não o ferirá,
nem a lua, de noite.

⁷O Senhor o protegerá de todo o mal,
protegerá a sua vida.
⁸O Senhor protegerá a sua saída
   e a sua chegada,
desde agora e para sempre.

Salmo 122

Cântico de Peregrinação. Davídico.

¹Alegrei-me com os que me disseram:
   "Vamos à casa do Senhor!"
²Nossos pés já se encontram
   dentro de suas portas, ó Jerusalém!

³Jerusalém está construída
   como cidade firmemente estabelecida.
⁴Para lá sobem as tribos do Senhor,
   para dar graças ao Senhor,
conforme o mandamento dado a Israel.
⁵Lá estão os tribunais de justiça,
os tribunais da casa real de Davi.

⁶Orem pela paz de Jerusalém:
   "Vivam em segurança aqueles que te amam!
⁷Haja paz dentro dos teus muros
   e segurança nas tuas cidadelas!"
⁸Em favor de meus irmãos e amigos, direi:
   Paz seja com você!
⁹Em favor da casa do Senhor, nosso Deus,
   buscarei o seu bem.

Salmo 123

Cântico de Peregrinação.

¹A ti levanto os meus olhos,
a ti, que ocupas o teu trono nos céus.
²Assim como os olhos dos servos
   estão atentos à mão de seu senhor,
e como os olhos das servas
   estão atentos à mão de sua senhora,
também os nossos olhos
   estão atentos ao Senhor,
   ao nosso Deus,
esperando que ele tenha misericórdia de nós.

³Misericórdia, Senhor!
Tem misericórdia de nós!
Já estamos cansados de tanto desprezo.
⁴Estamos cansados de tanta zombaria
   dos orgulhosos
e do desprezo dos arrogantes.

Salmo 124

Cântico de Peregrinação. Davídico.

¹Se o SENHOR não estivesse do nosso lado;
 que Israel o repita:
²Se o SENHOR não estivesse do nosso lado
 quando os inimigos nos atacaram,
³eles já nos teriam engolido vivos,
 quando se enfureceram contra nós;
⁴as águas nos teriam arrastado
 e as torrentes nos teriam afogado;
⁵sim, as águas violentas nos teriam afogado!

⁶Bendito seja o SENHOR,
 que não nos entregou para sermos dilacerados
 pelos dentes deles.
⁷Como um pássaro escapamos
 da armadilha do caçador;
a armadilha foi quebrada,
 e nós escapamos.
⁸O nosso socorro está no nome do SENHOR,
 que fez os céus e a terra.

Salmo 125

Cântico de Peregrinação.

¹Os que confiam no SENHOR
 são como o monte Sião,
 que não se pode abalar,
 mas permanece para sempre.
²Como os montes cercam Jerusalém,
 assim o SENHOR protege o seu povo,
 desde agora e para sempre.

³O cetro dos ímpios não prevalecerá
 sobre a terra dada aos justos;
se assim fosse,
 até os justos praticariam a injustiça.

⁴Senhor, trata com bondade
  os que fazem o bem,
os que têm coração íntegro.
⁵Mas aos que se desviam
  por caminhos tortuosos,
o Senhor infligirá o castigo dado aos malfeitores.

Haja paz em Israel!

Salmo 126

Cântico de Peregrinação.

¹Quando o Senhor trouxe os cativos
  de volta a Sião[a], foi como um sonho.
²Então a nossa boca encheu-se de riso,
e a nossa língua de cantos de alegria.
Até nas outras nações se dizia:
  "O Senhor fez coisas grandiosas
  por este povo".
³Sim, coisas grandiosas fez o Senhor por nós,
por isso estamos alegres.

⁴Senhor, restaura-nos[b],
assim como enches
  o leito dos ribeiros no deserto[c].
⁵Aqueles que semeiam com lágrimas,
com cantos de alegria colherão.
⁶Aquele que sai chorando
  enquanto lança a semente,
voltará com cantos de alegria,
  trazendo os seus feixes.

Salmo 127

Cântico de Peregrinação. De Salomão.

¹Se não for o Senhor o construtor da casa,
  será inútil trabalhar na construção.

---
[a] **126:1** Ou *trouxe restauração a Sião*
[b] **126:4** Ou *traze nossos cativos de volta*
[c] **126:4** Ou *Neguebe*

Se não é o Senhor que vigia a cidade,
  será inútil a sentinela montar guarda.
²Será inútil levantar cedo e dormir tarde,
  trabalhando arduamente por alimento.
O Senhor concede o sono
  àqueles a quem ele ama.[a]
³Os filhos são herança do Senhor,
uma recompensa que ele dá.
⁴Como flechas nas mãos do guerreiro
são os filhos nascidos na juventude.
⁵Como é feliz o homem
  que tem a sua aljava cheia deles!
Não será humilhado quando enfrentar
  seus inimigos no tribunal.

Salmo 128

Cântico de Peregrinação.

¹Como é feliz quem teme o Senhor,
quem anda em seus caminhos!

²Você comerá do fruto do seu trabalho,
e será feliz e próspero.
³Sua mulher será como videira frutífera
  em sua casa;
seus filhos serão como brotos de oliveira
  ao redor da sua mesa.
⁴Assim será abençoado
  o homem que teme o Senhor!

⁵Que o Senhor o abençoe desde Sião,
para que você veja a prosperidade de Jerusalém
  todos os dias da sua vida,
⁶e veja os filhos dos seus filhos.

Haja paz em Israel!

---
[a] **127:2** Ou *concede sustento aos seus amados enquanto dormem*

Salmo 129

Cântico de Peregrinação.

¹Muitas vezes me oprimiram
　desde a minha juventude;
que Israel o repita:
²Muitas vezes me oprimiram
　desde a minha juventude,
mas jamais conseguiram vencer-me.
³Passaram o arado em minhas costas
e fizeram longos sulcos.
⁴O Senhor é justo!
Ele libertou-me das algemas dos ímpios.

⁵Retrocedam envergonhados
　todos os que odeiam Sião.
⁶Sejam como o capim do terraço,
　que seca antes de crescer,
⁷que não enche as mãos do ceifeiro
　nem os braços daquele que faz os fardos.
⁸E que ninguém que passa diga:
　"Seja sobre vocês a bênção do Senhor;
　nós os abençoamos em nome do Senhor!"

Salmo 130

Cântico de Peregrinação.

¹Das profundezas clamo a ti, Senhor;
²ouve, Senhor, a minha voz!
Estejam atentos os teus ouvidos
　às minhas súplicas!

³Se tu, Soberano Senhor,
　registrasses os pecados, quem escaparia?
⁴Mas contigo está o perdão
　para que sejas temido.

⁵Espero no Senhor com todo o meu ser,
e na sua palavra ponho a minha esperança.
⁶Espero pelo Senhor
　mais do que as sentinelas pela manhã;

sim, mais do que as sentinelas
   esperam pela manhã!

⁷Ponha a sua esperança no Senhor, ó Israel,
pois no Senhor há amor leal
   e plena redenção.
⁸Ele próprio redimirá Israel
   de todas as suas culpas.

Salmo 131

Cântico de Peregrinação. Davídico.

¹Senhor, o meu coração não é orgulhoso
e os meus olhos não são arrogantes.
Não me envolvo com coisas grandiosas
nem maravilhosas demais para mim.
²De fato, acalmei e tranquilizei a minha alma.
Sou como uma criança
   recém-amamentada[a] por sua mãe;
a minha alma é como essa criança.

³Ponha a sua esperança no Senhor, ó Israel,
   desde agora e para sempre!

Salmo 132

Cântico de Peregrinação.

¹Senhor, lembra-te de Davi
e das dificuldades que enfrentou.
²Ele jurou ao Senhor
e fez um voto ao Poderoso de Jacó:
³"Não entrarei na minha tenda
e não me deitarei no meu leito;
⁴não permitirei
   que os meus olhos peguem no sono
nem que as minhas pálpebras descansem,
⁵enquanto não encontrar
   um lugar para o Senhor,
uma habitação para o Poderoso de Jacó".

---
[a] **131:2** Ou *desmamada*

⁶Soubemos que a arca estava em Efrata*,
mas nós a encontramos nos campos de Jaar*:
⁷"Vamos para a habitação do Senhor!
Vamos adorá-lo diante do estrado de seus pés!
⁸Levanta-te, Senhor,
e vem para o teu lugar de descanso,
tu e a arca onde está o teu poder.
⁹Vistam-se de retidão os teus sacerdotes;
cantem de alegria os teus fiéis".
¹⁰Por amor ao teu servo Davi,
não rejeites o teu ungido.

¹¹O Senhor fez um juramento a Davi,
um juramento firme que ele não revogará:
"Colocarei um dos seus descendentes
   no seu trono.
¹²Se os seus filhos forem fiéis à minha aliança
e aos testemunhos que eu lhes ensino,
também os filhos deles
   o sucederão no trono para sempre".

¹³O Senhor escolheu Sião,
   com o desejo de fazê-la sua habitação:
¹⁴"Este será o meu lugar de descanso
   para sempre;
aqui firmarei o meu trono,
   pois esse é o meu desejo.
¹⁵Abençoarei este lugar com fartura;
os seus pobres suprirei de pão.
¹⁶Vestirei de salvação os seus sacerdotes
e os seus fiéis a celebrarão com grande alegria.

¹⁷"Ali farei renascer o poder^c de Davi
e farei brilhar a luz^d do meu ungido.
¹⁸Vestirei de vergonha os seus inimigos,
mas nele brilhará a sua coroa".

---
^a **132:6** Ou *a respeito da arca em Efrata*
^b **132:6** Isto é, Quiriate-Jearim.
^c **132:17** Hebraico: *chifre*.
^d **132:17** Isto é, perpetuarei a dinastia.

Salmo 133

Cântico de Peregrinação. Davídico.

¹Como é bom e agradável
  quando os irmãos convivem em união!
²É como óleo precioso
  derramado sobre a cabeça,
  que desce pela barba, a barba de Arão,
  até a gola das suas vestes.
³É como o orvalho do Hermom
  quando desce sobre os montes de Sião.
Ali o Senhor concede a bênção
  da vida para sempre.

Salmo 134

Cântico de Peregrinação.

¹Venham! Bendigam o Senhor
todos vocês, servos do Senhor,
vocês, que servem de noite
  na casa do Senhor.
²Levantem as mãos na direção do santuário
e bendigam o Senhor!

³De Sião os abençoe o Senhor,
  que fez os céus e a terra!

Salmo 135

¹Aleluia!

Louvem o nome do Senhor;
louvem-no, servos do Senhor,
²vocês, que servem na casa do Senhor,
  nos pátios da casa de nosso Deus.

³Louvem o Senhor, pois o Senhor é bom;
cantem louvores ao seu nome,
  pois é nome amável.
⁴Porque o Senhor escolheu a Jacó,
a Israel como seu tesouro pessoal.

⁵Na verdade, sei que o Senhor é grande,
que o nosso Soberano é maior
　do que todos os deuses.
⁶O Senhor faz tudo o que lhe agrada,
nos céus e na terra,
nos mares e em todas as suas profundezas.
⁷Ele traz as nuvens desde os confins da terra;
envia os relâmpagos que acompanham a chuva
e faz que o vento saia dos seus depósitos.

⁸Foi ele que matou os primogênitos do Egito,
tanto dos homens como dos animais.
⁹Ele realizou em pleno Egito
　sinais e maravilhas,
contra o faraó e todos os seus conselheiros.
¹⁰Foi ele que feriu muitas nações
e matou reis poderosos:
¹¹Seom, rei dos amorreus,
Ogue, rei de Basã,
e todos os reinos de Canaã;
¹²e deu a terra deles como herança,
como herança a Israel, o seu povo.

¹³O teu nome, Senhor,
　permanece para sempre,
a tua fama, Senhor, por todas as gerações!
¹⁴O Senhor defenderá o seu povo
e terá compaixão dos seus servos.

¹⁵Os ídolos das nações
　não passam de prata e ouro,
　feitos por mãos humanas.
¹⁶Têm boca, mas não podem falar,
　olhos, mas não podem ver;
¹⁷têm ouvidos, mas não podem escutar,
　nem há respiração em sua boca.
¹⁸Tornem-se[a] como eles aqueles que os fazem
　e todos os que neles confiam.

¹⁹Bendigam o Senhor, ó israelitas!
Bendigam o Senhor, ó sacerdotes!

---
[a] **135:18** Ou *São*

²⁰Bendigam o SENHOR, ó levitas!
Bendigam o SENHOR
  os que temem o SENHOR!
²¹Bendito seja o SENHOR desde Sião,
aquele que habita em Jerusalém.

Aleluia!

Salmo 136

¹Deem graças ao SENHOR, porque ele é bom.
  O seu amor dura para sempre!
²Deem graças ao Deus dos deuses.
  O seu amor dura para sempre!
³Deem graças ao Senhor dos senhores.
  O seu amor dura para sempre!

⁴Ao único que faz grandes maravilhas,
  O seu amor dura para sempre!
⁵Que com habilidade fez os céus,
  O seu amor dura para sempre!
⁶Que estendeu a terra sobre as águas;
  O seu amor dura para sempre!
⁷Àquele que fez os grandes luminares:
  O seu amor dura para sempre!
⁸O sol para governar o dia,
  O seu amor dura para sempre!
⁹A lua e as estrelas para governarem a noite.
  O seu amor dura para sempre!

¹⁰Àquele que matou
  os primogênitos do Egito
  O seu amor dura para sempre!
¹¹E tirou Israel do meio deles
  O seu amor dura para sempre!
¹²Com mão poderosa e braço forte.
  O seu amor dura para sempre!

¹³Àquele que dividiu o mar Vermelho
  O seu amor dura para sempre!
¹⁴E fez Israel atravessá-lo,
  O seu amor dura para sempre!

¹⁵Mas lançou o faraó e o seu exército
   no mar Vermelho.
      O seu amor dura para sempre!

¹⁶Àquele que conduziu seu povo pelo deserto,
   O seu amor dura para sempre!
¹⁷Feriu grandes reis
   O seu amor dura para sempre!
¹⁸E matou reis poderosos:
   O seu amor dura para sempre!
¹⁹Seom, rei dos amorreus,
   O seu amor dura para sempre!
²⁰E Ogue, rei de Basã,
   O seu amor dura para sempre!
²¹E deu a terra deles como herança,
   O seu amor dura para sempre!
²²Como herança ao seu servo Israel.
   O seu amor dura para sempre!

²³Àquele que se lembrou de nós
   quando fomos humilhados
   O seu amor dura para sempre!
²⁴E nos livrou dos nossos adversários;
   O seu amor dura para sempre!
²⁵Àquele que dá alimento
   a todos os seres vivos.
   O seu amor dura para sempre!

²⁶Deem graças ao Deus dos céus.
   O seu amor dura para sempre!

Salmo 137

¹Junto aos rios da Babilônia
nós nos sentamos e choramos
   com saudade de Sião.
²Ali, nos salgueiros
   penduramos as nossas harpas;
³ali os nossos captores pediam-nos canções,
os nossos opressores exigiam
   canções alegres, dizendo:
"Cantem para nós uma das canções de Sião!"

⁴Como poderíamos cantar
  as canções do SENHOR
  numa terra estrangeira?
⁵Que a minha mão direita definhe,
  ó Jerusalém, se eu me esquecer de ti!
⁶Que a língua se me grude ao céu da boca,
  se eu não me lembrar de ti,
e não considerar Jerusalém
  a minha maior alegria!

⁷Lembra-te, SENHOR, dos edomitas
e do que fizeram
  quando Jerusalém foi destruída,
pois gritavam: "Arrasem-na!
Arrasem-na até aos alicerces!"

⁸Ó cidade[a] de Babilônia,
  destinada à destruição,
feliz aquele que lhe retribuir
  o mal que você nos fez!
⁹Feliz aquele que pegar os seus filhos
  e os despedaçar contra a rocha!

Salmo 138

Davídico.

¹Eu te louvarei, SENHOR, de todo o coração;
diante dos deuses cantarei louvores a ti.
²Voltado para o teu santo templo
  eu me prostrarei
e renderei graças ao teu nome,
por causa do teu amor e da tua fidelidade;
pois exaltaste acima de todas as coisas
  o teu nome e a tua palavra.
³Quando clamei, tu me respondeste;
deste-me força e coragem.

⁴Todos os reis da terra te renderão graças, SENHOR,
pois saberão das tuas promessas.

---
[a] 137:8 Hebraico: *filha*.

⁵Celebrarão os feitos do Senhor,
pois grande é a glória do Senhor!

⁶Embora esteja nas alturas,
   o Senhor olha para os humildes,
e de longe reconhece os arrogantes.
⁷Ainda que eu passe por angústias,
   tu me preservas a vida
   da ira dos meus inimigos;
estendes a tua mão direita e me livras.
⁸O Senhor cumprirá o seu propósito
   para comigo!
Teu amor, Senhor, permanece para sempre;
não abandones as obras das tuas mãos!

Salmo 139

Para o mestre de música. Davídico. Um salmo.

¹Senhor, tu me sondas e me conheces.
²Sabes quando me sento e quando me levanto;
de longe percebes os meus pensamentos.
³Sabes muito bem quando trabalho
   e quando descanso;
todos os meus caminhos
   são bem conhecidos por ti.
⁴Antes mesmo que a palavra
   me chegue à língua,
tu já a conheces inteiramente, Senhor.

⁵Tu me cercas, por trás e pela frente,
e pões a tua mão sobre mim.
⁶Tal conhecimento é maravilhoso demais
   e está além do meu alcance;
é tão elevado que não o posso atingir.

⁷Para onde poderia eu escapar do teu Espírito?
Para onde poderia fugir da tua presença?
⁸Se eu subir aos céus, lá estás;
se eu fizer a minha cama na sepultura[a],
   também lá estás.

---

[a] **139:8** Hebraico: *Sheol*. Essa palavra também pode ser traduzida por profundezas, pó ou morte.

⁹Se eu subir com as asas da alvorada
   e morar na extremidade do mar,
¹⁰mesmo ali a tua mão direita me guiará
   e me susterá.
¹¹Mesmo que eu diga que as trevas
   me encobrirão,
e que a luz se tornará noite ao meu redor,
¹²verei que nem as trevas são escuras para ti.
A noite brilhará como o dia,
   pois para ti as trevas são luz.

¹³Tu criaste o íntimo do meu ser
e me teceste no ventre de minha mãe.
¹⁴Eu te louvo porque me fizeste
   de modo especial e admirável[a].
Tuas obras são maravilhosas!
Digo isso com convicção.
¹⁵Meus ossos não estavam escondidos de ti
   quando em secreto fui formado
   e entretecido como nas profundezas da terra.
¹⁶Os teus olhos viram o meu embrião;
todos os dias determinados para mim
   foram escritos no teu livro
   antes de qualquer deles existir.

¹⁷Como são preciosos para mim
   os teus pensamentos, ó Deus!
Como é grande a soma deles!
¹⁸Se eu os contasse, seriam mais
   do que os grãos de areia.
Se terminasse de contá-los[b],
   eu ainda estaria contigo.
¹⁹Quem dera matasses os ímpios, ó Deus!
Afastem-se de mim os assassinos!
²⁰Porque falam de ti com maldade;
em vão rebelam-se contra ti.
²¹Acaso não odeio os que te odeiam, SENHOR?
E não detesto os que se revoltam contra ti?

---

[a] **139:14** A Septuaginta, a Versão Siríaca e os manuscritos do mar Morto dizem *porque tu és tremendo e maravilhoso*.
[b] **139:18** Ou *Quando acordasse*

²²Tenho por eles ódio implacável!
Considero-os inimigos meus!

²³Sonda-me, ó Deus,
 e conhece o meu coração;
prova-me, e conhece as minhas inquietações.
²⁴Vê se em minha conduta algo te ofende,
 e dirige-me pelo caminho eterno.

Salmo 140

Para o mestre de música. Salmo davídico.

¹Livra-me, SENHOR, dos maus;
protege-me dos violentos,
²que no coração tramam planos perversos
e estão sempre provocando guerra.
³Afiam a língua como a da serpente;
veneno de víbora está em seus lábios.

Pausa

⁴Protege-me, SENHOR, das mãos dos ímpios;
protege-me dos violentos,
 que pretendem fazer-me tropeçar.
⁵Homens arrogantes prepararam
 armadilhas contra mim,
perversos estenderam as suas redes;
no meu caminho armaram ciladas contra mim.

Pausa

⁶Eu declaro ao SENHOR: Tu és o meu Deus.
Ouve, SENHOR, a minha súplica!
⁷Ó Soberano SENHOR, meu salvador poderoso,
tu me proteges a cabeça no dia da batalha;
⁸não atendas os desejos dos ímpios, SENHOR!
Não permitas que os planos deles
 tenham sucesso,
para que não se orgulhem.

Pausa

⁹Recaia sobre a cabeça dos que me cercam
a maldade que os seus lábios proferiram.

¹⁰Caiam brasas sobre eles,
   e sejam lançados ao fogo,
em covas das quais jamais possam sair.
¹¹Que os difamadores
   não se estabeleçam na terra,
e a desgraça persiga os violentos até a morte.

¹²Sei que o Senhor defenderá
   a causa do necessitado
e fará justiça aos pobres.
¹³Com certeza os justos darão graças
   ao teu nome,
e os homens íntegros viverão na tua presença.

Salmo 141

Salmo davídico.

¹Clamo a ti, Senhor; vem depressa!
Escuta a minha voz quando clamo a ti.
²Seja a minha oração
   como incenso diante de ti,
e o levantar das minhas mãos,
   como a oferta da tarde.

³Coloca, Senhor,
   uma guarda à minha boca;
vigia a porta de meus lábios.
⁴Não permitas que o meu coração
   se volte para o mal,
nem que eu me envolva em práticas perversas
   com os malfeitores.
Que eu nunca participe dos seus banquetes!

⁵Fira-me o justo com amor leal
   e me repreenda,
mas não perfume a minha cabeça
   o óleo do ímpio,[a]
pois a minha oração
   é contra as práticas dos malfeitores.

---

[a] **141:5** Ou *Fira-me o justo e me repreenda o piedoso; será como óleo fino que minha cabeça não recusará,*

⁶Quando eles caírem nas mãos da Rocha,
   o juiz deles,
ouvirão as minhas palavras com apreço.[a]
⁷Como a terra é arada e fendida,
assim foram espalhados os seus ossos
   à entrada da sepultura[b].

⁸Mas os meus olhos estão fixos em ti,
   ó Soberano Senhor;
em ti me refugio;
   não me entregues à morte.
⁹Guarda-me das armadilhas
   que prepararam contra mim,
das ciladas dos que praticam o mal.
¹⁰Caiam os ímpios em sua própria rede,
   enquanto eu escapo ileso.

Salmo 142

Poema de Davi, quando ele estava na caverna. Uma oração.

¹Em alta voz clamo ao Senhor;
elevo a minha voz ao Senhor,
   suplicando misericórdia.
²Derramo diante dele o meu lamento;
a ele apresento a minha angústia.

³Quando o meu espírito desanima,
   és tu quem conhece o caminho
   que devo seguir.
Na vereda por onde ando
   esconderam uma armadilha contra mim.
⁴Olha para a minha direita e vê;
   ninguém se preocupa comigo.
Não tenho abrigo seguro;
   ninguém se importa com a minha vida.

⁵Clamo a ti, Senhor, e digo:
   Tu és o meu refúgio;
és tudo o que tenho na terra dos viventes.

---
[a] **141:6** Ou *Quando os seus governantes forem lançados dos penhascos, todos saberão que minhas palavras eram verdadeiras.*
[b] **141:7** Hebraico: *Sheol*. Essa palavra também pode ser traduzida por profundezas, pó ou morte.

⁶Dá atenção ao meu clamor,
  pois estou muito abatido;
livra-me dos que me perseguem,
  pois são mais fortes do que eu.
⁷Liberta-me da prisão,
  e renderei graças ao teu nome.
Então os justos se reunirão à minha volta
  por causa da tua bondade para comigo.

Salmo 143

Salmo davídico.

¹Ouve, Senhor, a minha oração,
dá ouvidos à minha súplica;
responde-me
  por tua fidelidade e por tua justiça.
²Mas não leves o teu servo a julgamento,
pois ninguém é justo diante de ti.

³O inimigo persegue-me
  e esmaga-me ao chão;
ele me faz morar nas trevas,
  como os que há muito morreram.
⁴O meu espírito desanima;
o meu coração está em pânico.
⁵Eu me recordo dos tempos antigos;
medito em todas as tuas obras
e considero o que as tuas mãos têm feito.
⁶Estendo as minhas mãos para ti;
como a terra árida, tenho sede de ti.

Pausa

⁷Apressa-te em responder-me, Senhor!
  O meu espírito se abate.
Não escondas de mim o teu rosto,
  ou serei como os que descem à cova.
⁸Faze-me ouvir do teu amor leal pela manhã,
  pois em ti confio.
Mostra-me o caminho que devo seguir,
  pois a ti elevo a minha alma.

⁹Livra-me dos meus inimigos, SENHOR,
  pois em ti eu me abrigo.
¹⁰Ensina-me a fazer a tua vontade,
  pois tu és o meu Deus;
que o teu bondoso Espírito
  me conduza por terreno plano.

¹¹Preserva-me a vida, SENHOR,
  por causa do teu nome;
por tua justiça, tira-me desta angústia.
¹²E no teu amor leal,
  aniquila os meus inimigos;
destrói todos os meus adversários,
  pois sou teu servo.

Salmo 144

Davídico.

¹Bendito seja o SENHOR, a minha Rocha,
que treina as minhas mãos para a guerra
  e os meus dedos para a batalha.
²Ele é o meu aliado fiel, a minha fortaleza,
  a minha torre de proteção
  e o meu libertador,
é o meu escudo, aquele em quem me refugio.
Ele subjuga a mim os povos[a].

³SENHOR, que é o homem
  para que te importes com ele,
ou o filho do homem
  para que por ele te interesses?
⁴O homem é como um sopro;
seus dias são como uma sombra passageira.

⁵Estende, SENHOR, os teus céus e desce;
toca os montes para que fumeguem.
⁶Envia relâmpagos e dispersa os inimigos;
atira as tuas flechas e faze-os debandar.

---

[a] **144:2** Conforme muitos manuscritos do Texto Massorético, os manuscritos do mar Morto, a Versão Siríaca e algumas outras versões antigas. A maioria dos manuscritos do Texto Massorético diz *o meu povo*.

⁷Das alturas, estende a tua mão e liberta-me;
salva-me da imensidão das águas,
   das mãos desses estrangeiros,
⁸que têm lábios mentirosos
   e que, com a mão direita erguida,
   juram falsamente.

⁹Cantarei uma nova canção a ti, ó Deus;
tocarei para ti a lira de dez cordas,
   ¹⁰para aquele que dá vitória aos reis,
que livra o seu servo Davi
   da espada mortal.

¹¹Dá-me libertação;
salva-me das mãos dos estrangeiros,
   que têm lábios mentirosos
   e que, com a mão direita erguida,
   juram falsamente.

¹²Então, na juventude,
os nossos filhos serão como plantas viçosas,
e as nossas filhas, como colunas
   esculpidas para ornar um palácio.
¹³Os nossos celeiros estarão cheios
   das mais variadas provisões.
Os nossos rebanhos se multiplicarão
   aos milhares,
às dezenas de milhares em nossos campos;
¹⁴o nosso gado dará suas crias;
não haverá praga alguma nem aborto.[a]
Não haverá gritos de aflição em nossas ruas.

¹⁵Como é feliz o povo assim abençoado!
   Como é feliz o povo cujo Deus é o SENHOR!

Salmo 145[b]

Um cântico de louvor. Davídico.

¹Eu te exaltarei, meu Deus e meu rei;
bendirei o teu nome para todo o sempre!

---

[a] **144:14** Ou *os nossos distritos não terão sobrecarga; não haverá invasão nem exílio.*
[b] O salmo 145 é um poema organizado em ordem alfabética, no hebraico.

²Todos os dias te bendirei
e louvarei o teu nome para todo o sempre!
³Grande é o Senhor e digno de ser louvado;
sua grandeza não tem limites.

⁴Uma geração contará à outra
   a grandiosidade dos teus feitos;
eles anunciarão os teus atos poderosos.
⁵Proclamarão o glorioso esplendor
   da tua majestade,
e meditarei nas maravilhas que fazes.[a]
⁶Anunciarão o poder dos teus feitos temíveis,
e eu falarei das tuas grandes obras.
⁷Comemorarão a tua imensa bondade
e celebrarão a tua justiça.

⁸O Senhor é misericordioso e compassivo,
paciente e transbordante de amor.
⁹O Senhor é bom para todos;
a sua compaixão alcança
   todas as suas criaturas.
¹⁰Rendam-te graças todas as tuas criaturas, Senhor,
e os teus fiéis te bendigam.
¹¹Eles anunciarão a glória do teu reino
e falarão do teu poder,
¹²para que todos saibam
   dos teus feitos poderosos
e do glorioso esplendor do teu reino.
¹³O teu reino é reino eterno,
e o teu domínio permanece
   de geração em geração.

O Senhor é fiel em todas as suas promessas
e é bondoso em tudo o que faz.[b]
¹⁴O Senhor ampara todos os que caem
e levanta todos os que estão prostrados.
¹⁵Os olhos de todos estão voltados para ti,
e tu lhes dás o alimento no devido tempo.

---

[a] **145:5** Conforme os manuscritos do mar Morto e a Versão Siríaca. O Texto Massorético diz *Meditarei no glorioso esplendor da tua majestade e nas tuas obras maravilhosas*.

[b] **145:13** Conforme um manuscrito do Texto Massorético, os manuscritos do mar Morto e a Versão Siríaca. A maioria dos manuscritos do Texto Massorético não traz as duas últimas linhas desse versículo.

¹⁶Abres a tua mão e satisfazes os desejos
   de todos os seres vivos.

¹⁷O Senhor é justo
   em todos os seus caminhos
e é bondoso em tudo o que faz.
¹⁸O Senhor está perto
   de todos os que o invocam,
de todos os que o invocam com sinceridade.
¹⁹Ele realiza os desejos daqueles que o temem;
ouve-os gritar por socorro e os salva.
²⁰O Senhor cuida de todos os que o amam,
mas a todos os ímpios destruirá.

²¹Com meus lábios louvarei o Senhor.
Que todo ser vivo bendiga o seu santo nome
   para todo o sempre!

Salmo 146

¹Aleluia!

Louve, ó minha alma, o Senhor.
²Louvarei o Senhor por toda a minha vida;
cantarei louvores ao meu Deus
   enquanto eu viver.

³Não confiem em príncipes,
em meros mortais, incapazes de salvar.
⁴Quando o espírito deles se vai, eles voltam ao pó;
naquele mesmo dia acabam-se os seus planos.

⁵Como é feliz aquele cujo auxílio
   é o Deus de Jacó,
cuja esperança está no Senhor, no seu Deus,
⁶que fez os céus e a terra,
   o mar e tudo o que neles há,
e que mantém a sua fidelidade para sempre!
⁷Ele defende a causa dos oprimidos
   e dá alimento aos famintos.
O Senhor liberta os presos,

⁸O Senhor dá vista aos cegos,
o Senhor levanta os abatidos,
o Senhor ama os justos.
⁹O Senhor protege o estrangeiro
  e sustém o órfão e a viúva,
mas frustra o propósito dos ímpios.

¹⁰O Senhor reina para sempre!
O teu Deus, ó Sião,
  reina de geração em geração.

Aleluia!

Salmo 147

¹Aleluia!

Como é bom cantar louvores ao nosso Deus!
Como é agradável e próprio louvá-lo!

²O Senhor edifica Jerusalém;
ele reúne os exilados de Israel.
³Só ele cura os de coração quebrantado
e cuida das suas feridas.

⁴Ele determina o número de estrelas
e chama cada uma pelo nome.
⁵Grande é o nosso Soberano
  e tremendo é o seu poder;
é impossível medir o seu entendimento.
⁶O Senhor sustém o oprimido,
mas lança por terra o ímpio.

⁷Cantem ao Senhor com ações de graças;
ao som da harpa façam música
  para o nosso Deus.
⁸Ele cobre o céu de nuvens,
concede chuvas à terra
e faz crescer a relva nas colinas.
⁹Ele dá alimento aos animais,
  e aos filhotes dos corvos
  quando gritam de fome.

¹⁰Não é a força do cavalo
  que lhe dá satisfação,
nem é a agilidade do homem que lhe agrada;
¹¹o Senhor se agrada dos que o temem,
  dos que colocam sua esperança no seu amor leal.

¹²Exalte o Senhor, ó Jerusalém!
Louve o seu Deus, ó Sião,
¹³pois ele reforçou as trancas de suas portas
e abençoou o seu povo, que lá habita.
¹⁴É ele que mantém as suas fronteiras
  em segurança
e que a supre do melhor do trigo.
¹⁵Ele envia sua ordem à terra,
e sua palavra corre veloz.
¹⁶Faz cair a neve como lã,
e espalha a geada como cinza.
¹⁷Faz cair o gelo como se fosse pedra.
Quem pode suportar o seu frio?
¹⁸Ele envia a sua palavra, e o gelo derrete;
envia o seu sopro, e as águas tornam a correr.

¹⁹Ele revela a sua palavra a Jacó,
os seus decretos e ordenanças a Israel.
²⁰Ele não fez isso a nenhuma outra nação;
todas as outras desconhecem
  as suas ordenanças.

Aleluia!

Salmo 148

¹Aleluia!

Louvem o Senhor desde os céus,
  louvem-no nas alturas!
²Louvem-no todos os seus anjos,
  louvem-no todos os seus exércitos celestiais.
³Louvem-no sol e lua,
  louvem-no todas as estrelas cintilantes.
⁴Louvem-no os mais altos céus
  e as águas acima do firmamento.

⁵Louvem todos eles o nome do SENHOR,
  pois ordenou, e eles foram criados.
⁶Ele os estabeleceu em seus lugares
  para todo o sempre;
deu-lhes um decreto que jamais mudará.

⁷Louvem o SENHOR, vocês que estão na terra,
serpentes marinhas e todas as profundezas,
⁸relâmpagos e granizo, neve e neblina,
vendavais que cumprem o que ele determina,
⁹todas as montanhas e colinas,
árvores frutíferas e todos os cedros,
¹⁰todos os animais selvagens
  e os rebanhos domésticos,
todos os demais seres vivos e as aves,
¹¹reis da terra e todas as nações,
todos os governantes e juízes da terra,
¹²moços e moças, velhos e crianças.

¹³Louvem todos o nome do SENHOR,
pois somente o seu nome é exaltado;
a sua majestade está acima
  da terra e dos céus.
¹⁴Ele concedeu poder[a] ao seu povo,
  e recebeu louvor de todos os seus fiéis,
dos israelitas, povo a quem ele tanto ama.
  Aleluia!

Salmo 149

¹Aleluia!

Cantem ao SENHOR uma nova canção,
louvem-no na assembleia dos fiéis.
²Alegre-se Israel no seu Criador,
exulte o povo de Sião no seu Rei!
³Louvem eles o seu nome com danças;
ofereçam-lhe música
  com tamborim e harpa.

---
[a] **148:14** Hebraico: *levantou um chifre.*

⁴O Senhor agrada-se do seu povo;
ele coroa de vitória os oprimidos.
⁵Regozijem-se os seus fiéis nessa glória
e em seus leitos cantem alegremente!

⁶Altos louvores estejam em seus lábios
e uma espada de dois gumes em suas mãos,
⁷para imporem vingança às nações
e trazerem castigo aos povos,
⁸para prenderem os seus reis com grilhões
e seus nobres com algemas de ferro,
⁹para executarem a sentença escrita
   contra eles.
Esta é a glória de todos os seus fiéis.

Aleluia!

Salmo 150

¹Aleluia!

Louvem a Deus no seu santuário,
   louvem-no em seu magnífico firmamento.
²Louvem-no pelos seus feitos poderosos,
   louvem-no segundo a imensidão
   de sua grandeza!
³Louvem-no ao som de trombeta,
   louvem-no com a lira e a harpa,
⁴louvem-no com tamborins e danças,
   louvem-no com instrumentos de cordas
   e com flautas,
⁵louvem-no com címbalos sonoros,
   louvem-no com címbalos ressonantes.

⁶Tudo o que tem vida louve o Senhor!
   Aleluia!